# Restauration des peintures

Catalogue rédigé par Ségolène Bergeon
Avant-propos par Gilberte Émile-Mâle
Textes du Laboratoire de Recherche des Musées de France
par Lola Faillant-Dumas

ÉDITIONS DE LA RÉUNION DES MUSÉES NATIONAUX
PARIS 1980

# SOMMAIRE

*Cette exposition,
présentée au Musée du Louvre (aile de Flore)
du 30 mai au 1er décembre 1980
a été réalisée par
la Réunion des Musées Nationaux avec le concours
des services techniques du Musée du Louvre*

*Nous tenons à remercier :*

*Elisabeth Pacoud-Rème, documentaliste au
Service de Restauration, qui a assisté Ségolène
Bergeon dans toutes ses tâches.*

*Les restaurateurs qui rendent possible une telle
exposition, ceux dont quelques travaux sont
montrés ainsi que tous ceux de l'atelier de restauration des peintures des Musées Nationaux et
spécialement Jacques Roullet, chef de l'Atelier.*

*Le conservateur en chef du Département des
Peintures, Michel Laclotte, qui a bien voulu nous
proposer l'espace traditionnellement réservé à des
dossiers montés par le Département des Peintures
et qui a bien voulu consentir au prêt de la plupart
des œuvres exposées.*

ISBN 2-7118-0156-X
Réimpression 1er trimestre 1986

*Les prêteurs des tableaux exposés autres que
ceux du Louvre :*

- *le Musée du Petit Palais d'Avignon*
- *le Musée des Beaux Arts de Montpellier*
- *le Musée de l'Assistance Publique à Paris*
- *le Musée de la Marine à Paris*
- *le Château de Fontainebleau*
- *la Caisse des Monuments Historiques (responsable du Château de Maisons-Laffitte).*

*Nos collègues du Département des Peintures qui
ont bien voulu apporter leur collaboration à la
rédaction des éléments d'identification des œuvres
et des courtes notices d'histoire de l'art et Janine
Menei, chargée de mission au Service de la Restauration, qui a assuré les recherches d'archives.*

*Madeleine Hours, maître de recherche au
CNRS, conservateur en chef du Laboratoire de
Recherche des Musées de France, dont tous les
collaborateurs ont fourni une aide précieuse à la
restauration : les radiographies et photographies
sous diverses radiations ont été exécutées par le
service photographique et radiographique du
laboratoire sous la direction de A. Tournois et
M. Solier; les analyses physico-chimiques de
matière picturale ont été effectuées par J.P. Rioux.*

*Tous ceux sans lesquels une exposition compre-
nant une part importante de documentation de
cette qualité n'aurait pu se faire : Philippe Baby,
Annick Lautraite, chargée de la documentation
photographique au Service de Restauration, assistée
de Annie Thomasset.*

*Tous ceux dont l'assistance a été indispensable :
Odile Bay, Marie-Laure Bernadac, Frédérique
Canet, Odile Cortet, Jacques Giès, Claire Lemire,
Dominique Mazaleyrat, Géraldine Taillard ainsi
que Tettiravoussamy Defremery et Lucie Dormy
et les ateliers du Louvre.*

*Les photographies présentées dans l'exposition
sont dues à : Agraci; Chuzeville; Daspet; Laboratoire de Recherche des Musées de France;
Réunion des Musées Nationaux; Service de la
Restauration des Peintures des Musées Nationaux.*

*Les tirages photographiques couleur de l'exposi-
tion sont dus au Laboratoire Marcel Varret.*

# AVANT-PROPOS

Il y a plus de deux ans M. Laclotte nous a offert de présenter une exposition sur la restauration des peintures dans le cadre des « Dossiers du Département des Peintures ». Qu'il en soit bien vivement remercié ainsi que du prêt des tableaux !

Nous avons pu réaliser cette exposition en 1980 : année du Patrimoine. Acquérir des œuvres d'art pour les musées est une mission importante ; les conserver, les entretenir et les restaurer en est une autre moins connue, moins prestigieuse, mais combien essentielle, car transmettre ce patrimoine aux générations futures est un devoir.

C'est la première fois qu'une exposition de cette importance, consacrée à la restauration des peintures, est réalisée en France. Elle illustre une politique cohérente, comme l'a déjà fait la présentation documentaire de la restauration des Primitifs Italiens de la Collection Campana du Petit Palais d'Avignon[1]. Mais ici les tableaux, eux-mêmes, sont présentés en cours de restauration à des stades différents d'intervention pour une démonstration précise. Ils sont entourés de photographies significatives expliquant les diverses étapes du travail. Il

va de soi que la restauration des tableaux sera achevée lorsque l'exposition prendra fin. De façon délibérée, l'accent a été mis sur les problèmes esthétiques de la restauration des peintures et non pas sur ceux de leur réalité physique.

Les problèmes techniques de conservation : refixage de soulèvements, consolidation des supports, bois et toile, etc. n'ont pas été abordés, bien qu'étant d'une importance capitale pour la survie d'une œuvre, car ils auraient exigé beaucoup plus de place. De même, la technologie des opérations esthétiques n'est pas évoquée, car cette exposition ne s'adresse pas à des techniciens spécialisés, mais au public du Louvre, afin de le sensibiliser à la restauration, de lui montrer qu'on intervient avec respect sur l'œuvre d'art et que restaurer n'est ni remettre à neuf, ni présenter de manière « archéologique », c'est-à-dire en montrant l'original retrouvé, même lacunaire, sans la moindre retouche.

Les cas présentés nous semblent susceptibles d'enrichir la connaissance de l'historien d'art et d'intéresser l'amateur, tous deux plus sensibles à une action d'ensemble et à ses résultats qu'à la variété des procédés mis en œuvre.

Nous ne présentons dans cette exposition que l'aboutissement d'une recherche à multiples étapes, la première étant la connaissance, grâce aux documents d'archives, des

---

Les notes se trouvent pages 82.
Les notions de provenance et de bibliographie relatives à chaque œuvre exposée sont rassemblées dans l'index des œuvres pages 87 à 90.

interventions déjà subies par les œuvres. Le passage d'une étape à l'autre est grandement facilité par les documents du Laboratoire de Recherche des Musées de France : photographies sous diverses lumières, radiographies, études stratigraphiques de la matière picturale. Chaque tableau objet d'une intervention importante doit avoir son « dossier » de laboratoire. Un choix des documents qui ont été très utiles à la restauration est présenté dans l'exposition.

Une telle exposition n'aurait pas été imaginable il y a vingt ans, à peine il y a dix ans. Ce sont les inondations de Florence en 1966 qui ont rendu souhaitable l'exposition « Firenze Restaura » en 1972, afin de montrer au monde entier le résultat des efforts de tous[2]. L'opinion n'était pas préparée en France. Il fallait en tenir compte et lui proposer par étapes successives la vision de tableaux nettoyés : c'est ainsi qu'il fut fait pour les Poussin du Louvre. Dégagés très superficiellement pendant la guerre d'une gangue d'épais vernis brun, un deuxième allégement des vernis fut repris avant l'exposition Poussin de 1960. Et il va encore être possible, en une troisième étape, de faire un nouveau nettoyage tout en conservant une légère patine. L'Hiver ou le Déluge en est un exemple. Aujourd'hui ces étapes ne sont plus aussi indispensables, car le visiteur des musées est plus habitué à voir des tableaux nettoyés et n'apprécie plus autant les œuvres obscurcies par des vernis bruns.

Le nettoyage des peintures avait souvent suscité, dans un passé encore récent, des polémiques passionnées. La restauration était entourée en France d'un mystère entretenu par un certain nombre de restaurateurs qui défendaient jalousement « leurs secrets ». Cette ère est heureusement révolue et, dans le monde des Musées ou des Instituts, les problèmes de restauration sont évoqués au grand jour.

La France avait pris du retard sur d'autres pays dans plusieurs domaines de la restauration : n'a-t-il pas fallu attendre 1978 pour qu'un Institut Français de Restauration des Œuvres d'Art, destiné à former des restaurateurs, soit créé!

Cependant la restauration des peintures a toujours été l'objet d'un intérêt réel de la part des plus hautes instances artistiques pour des raisons précises. Les collections royales de peintures ont été entourées de soins attentifs (compte tenu des connaissances et des possibilités techniques et scientifiques de l'époque), car la restauration était très liée à la peinture elle-même et a dû être faite, bien souvent, dans les ateliers des peintres.

Les documents d'archives sont une source d'information précieuse. En effet, on sait que François Ier chargea Primatice de l'entretien de ses tableaux installés au Château de Fontainebleau. A cette époque, les restaurations étaient confiées à des peintres d'autant plus célèbres que l'œuvre était plus importante. Avec le développement rapide des collections royales installées à Paris et à Versailles, une incroyable politique de modification des dimensions des tableaux fut menée par le Premier Peintre du Roi dès le règne de Louis XIV. Ce fut rendu possible par la naissance de l'opération dite « rentoilage » (doublage de la toile d'origine par une nouvelle toile), dont on trouve les premières mentions dès la fin du xviie siècle. Les tableaux étaient alors considérés comme objets de décoration; ils étaient adaptés aux emplacements successifs qu'ils occupaient.

Cet usage de transformation des œuvres, soit pour des raisons d'emplacement, soit pour des raisons d'évolution du goût, dura encore au xviiie siècle. L'exposition en montre plusieurs exemples.

C'est entre le milieu et la fin du xviiie siècle que la restauration des peintures acquit une véritable organisation. En effet, dès 1775, à la mort de la « Veuve Godefroid » qui avait régné trente-quatre ans sur la restauration, le Surintendant des Bâtiments du Roi, le Marquis d'Angiviller, définissait les règles de la restauration des collections royales en supprimant le privilège du restaurateur unique. Désormais, le restaurateur devait être un spécialiste soumis à sélection et non plus seulement un peintre; le secret des procédés était banni; les prix et méthodes étaient contrôlés. D'Angiviller ouvrait une ère nouvelle et les lois de la restauration contemporaine étaient en germe dans cette réglementation.

Deux événements mirent la France dans une position privilégiée dans le domaine de la restauration des peintures :
— la naissance de la transposition, dite alors « levage ou transfert »,
— l'arrivée à Paris des tableaux conquis par les armées françaises en Belgique en 1794, en Italie en 1796 par le Traité de Tolentino, aux Pays-Bas en 1797, en Bavière en 1800 etc.

En effet, un événement considérable fut en France l'apparition de la transposition (remplacement du support original de la peinture par un nouveau support pour atteindre et régénérer la préparation désagrégée qui entraînait le détachement de la couche picturale d'avec son support).

Née en Italie dans le premier quart du xviiie siècle, la transposition fut pratiquée pour la première fois en 1750-1751 sur un tableau des collections royales, *La Charité* d'Andrea del Sarto, par Robert Picault[3]. Le roi vint en personne s'émerveiller de cette miraculeuse intervention. Cette nouvelle technique trouva une application importante avec les tableaux arrivés à Paris, conquis en Europe. Il fallait sans attendre montrer ces « glorieux trophées » au public parisien; les restaurations s'intensifièrent. Il fallait recruter des restaurateurs : un concours décidé dès 1794, non encore organisé en 1797, n'eut finalement pas lieu pour des raisons politiques. On voit à plusieurs reprises dans l'histoire l'utilisation de la restauration des tableaux du Louvre à des fins politiques, ce que fit brillamment David qui la dénigra.

Il est possible de dire que la plupart des chefs-d'œuvre d'Europe passèrent entre les mains des restaurateurs parisiens, qui acquirent une grande expérience et une réputation qui dépassa nos frontières. Les rentoileurs Hacquin, père et fils, furent si célèbres que des collectionneurs polonais leur envoyèrent leurs tableaux à restaurer à Paris. En 1799-1800, la transposition de bois sur toile de *La Vierge de Foligno* de Raphaël, exécutée à Paris par Hacquin, donna lieu à un rapport célèbre où l'opération, minutieusement décrite, était rendue publique. Une Commission de Contrôle, chargée de suivre l'intervention et composée de chimistes et de peintres, était une amorce de la collaboration moderne de l'historien d'art, du scientifique et du restaurateur[4]. De même, le rôle de J.B.P. Lebrun (époux d'Élisabeth Vigée), chargé des diagnostics d'état des œuvres, du contrôle des prix et des restaurations, était dès la fin du XVIIIe siècle une annonce de l'organisation contemporaine[5].

Il semble que la France se contenta ensuite de vivre sur son acquis. Par goût romantique, on laissait les tableaux obscurcis par des vernis superposés, de ton brunâtre, dit « jus-musée ». En 1848, le Directeur des Musées Nationaux, Jeanron, à l'instigation de Villot, Conservateur des Peintures, désireux de lutter contre ce retour à un néfaste obscurantisme, réglementa de façon précise la restauration des tableaux du Louvre qui étaient dans un « état déplorable », ce qui avait soulevé « pendant tant d'années les plus justes réclamations de la part des artistes et des amateurs » : les restaurations furent arrêtées, une Commission de Surveillance créée, un concours de recrutement de restaurateurs et rentoileurs compétents institué, à renouveler tous les cinq ans[6]. Villot commença à faire nettoyer, c'est-à-dire à supprimer une partie plus ou moins grande des vernis bruns recouvrant des tableaux importants du Louvre. Critiqué et objet d'une violente polémique, il dut se démettre en 1860 de sa fonction de conservateur. Villot,

qui était peintre et informé de la restauration, qu'il disait avoir pratiquée lui-même, devait bien savoir quelle transformation le nettoyage apporterait aux tableaux, mais il n'avait pas assez tenu compte du goût des amateurs qui n'admettaient pas de voir l'objet de leur délectation transformé, et peut-être aussi quelques nettoyages un peu trop audacieux furent-ils faits!

En 1910, il y avait pour l'entretien des collections de peintures du Louvre, auxquelles on se contentait de donner des soins mineurs, un seul restaurateur, M. Denizard, aidé à partir de 1911 d'un jeune élève de l'École des Beaux-Arts de Paris, L. Aubert, qu'il forma à la restauration ; ce dernier lui succéda et fut un des piliers de l'atelier du Louvre jusqu'en 1974.

C'est un peu avant la dernière guerre mondiale qu'une grande époque est née pour la conservation et la restauration, avec la prise de conscience des dangers qui menacent les biens culturels. Elle aboutit à l'étranger à la création d'Instituts chargés de sauver le patrimoine artistique. En 1940, C. Brandi, qui fonda l'Institut Central de la Restauration de Rome, fut le véritable théoricien moderne de la restauration en définissant une doctrine et des principes toujours actuels.

Au Louvre, c'est en 1936 que le Directeur des Musées de France, H. Verne, à la demande de R. Huyghe, Conservateur des Peintures, soucieux de l'insuffisance française et désireux de libérer les peintures de cette gangue de vernis jaunes qui les recouvraient en les trahissant, créa l'Atelier de Restauration des Peintures, en précisant une doctrine, après avoir remis en vigueur un usage ancien : celui d'un concours de recrutement de restaurateurs. B. Aillet, L. Aubert, R. Longa, P. Michel, P. Paulet, G. Zezzos, tous peintres de formation, constituèrent cet atelier dont J.G. Goulinat fut le chef de 1936 à 1969. Ils ont tous aujourd'hui disparu, ainsi que H. Linard, entré à l'Atelier en 1951. De nouvelles équipes leur ont succédé, à la suite de divers examens d'aptitude et stages. Elles sont très diversifiées quant à leur formation, mais de plus en plus informées des problèmes scientifiques. J. Roullet, entré à l'Atelier en 1943, succéda à J.G. Goulinat comme Chef d'Atelier en 1971. Grâce à cette création de l'atelier de restauration, à l'intérêt et à la compétence que G. Bazin, à la suite de R. Huyghe, porta à ces problèmes, la restauration des peintures a repris une place importante dans les musées français. G. Bazin fut chargé en 1966 d'un Service placé sous l'autorité directe du Directeur des Musées de France et dont la vocation est la restauration dans les Musées Nationaux[7].

Au milieu du siècle, à la suite d'une exposition faite en 1947-1948 à la National Gallery de Londres de soixante dix tableaux restaurés depuis dix ans, se situa une polémique internationale dite « querelle des vernis », qui dura près de vingt ans[8]. Elle partagea les spécialistes en deux clans : celui des anglo-saxons appelés « totalitaires » par leurs adversaires, se disant « nuancés ». Les premiers étaient partisans du dévernissage au nom du retour à l'œuvre originale et d'une certitude scientifique qui éloigne crainte et hésitation. Les seconds, partisans de nettoyages modérés, appelés allégements de vernis, s'efforçaient de sauvegarder la patine, acquise par le temps, au nom d'un jugement critique et non pas d'une croyance aveugle dans les possibilités d'aide scientifique. Ils souhaitaient laisser ainsi à leurs successeurs la possibilité de reprendre ces allégements en choisissant des degrés plus prononcés s'ils le jugeaient nécessaire, quand ils auraient à leur disposition un choix plus vaste de produits, à la fois plus efficaces et moins dangereux pour la peinture.

Deux hommes ont été alors les défenseurs de l'allégement : C. Brandi et R. Huyghe. « Le voile d'une patine plus ou moins légère mate la crudité des couleurs désaccordées, rétablit l'équilibre rompu des valeurs, en rapprochant les blancs teintés des noirs adoucis, enveloppe les blessures et les atténue à l'œil... », « le dévernissage radical ne rend pas au tableau son état original; il découvre son état actuel et c'est toujours une peinture désaccordée... Il importe de retirer suffisamment de vernis pour supprimer la gêne du jaunissement mais d'en laisser assez pour maintenir une enveloppe. Aucune formule ne donne le réglage voulu. Il varie selon chaque cas : certains tableaux supporteront un nettoyage « à fond », d'autres seulement un allégement. Nous rencontrons pour la première fois le seul principe absolu de l'art de restaurer : à savoir qu'il n'est que des cas d'espèces » écrivait R. Huyghe en 1950[9]. L'exposition montre que ces principes sont toujours actuels. Quant aux règles de la réintégration, dont il est traité longuement dans le catalogue, elles ont beaucoup évolué ainsi que le montre ce texte de 1867 :

« Un habile restaurateur ne doit pas se borner à repeindre des fragments endommagés ; il lui faut peindre un peu partout en sorte que le tableau semble peint nouvellement »[10]. Ces habiles restaurateurs pensaient, avec un certain orgueil, qu'ils avaient le droit d'ajouter leur « faire » à celui du peintre et que leurs interventions étaient éternelles, en oubliant que le temps fait implacablement son œuvre destructrice. Ces idées forces ont soustendu l'action de tous ceux qui ont voulu, entre 1936 et nos jours, faire sortir la conservation et la restauration d'une sorte d'obscurantisme dans lequel elles étaient tombées et les faire entrer dans une ère de plus en plus rigoureuse, scientifique, tout en n'oubliant pas les règles humanistes.

Il est possible de dire que, dans le domaine de la retouche, le strict respect de l'original, qu'en aucun cas on ne doit recouvrir, est une notion moderne. La grande règle contemporaine de la restauration est d'enlever le plus possible les apports des hommes et du temps et d'ajouter le moins possible. « Le patrimoine est ce fil d'Ariane tendu entre le passé et le futur qui permet à une collectivité de s'affermir à travers les siècles et d'échapper ainsi à la stérilité et à la mort »[11]. Ce fil est fragile et ne doit pas être rompu ; ce qui donne une priorité absolue à la conservation. Si cet aspect n'a pu être présenté dans cette exposition, il est bon que le public sache que c'est bien la préoccupation première et constante.

Nous souhaitons que cette exposition fasse prendre conscience à tous que conservation et restauration ne sont pas des activités mineures et que l'une et l'autre, sorties de l'empirisme, sont entrées dans une phase de conscience de plus en plus aiguë des problèmes et des responsabilités de la part des conservateurs et des restaurateurs.

# INTRODUCTION

Restaurer une œuvre d'art signifie la rétablir, la remettre en état : prolonger sa vie, conserver la matière dont elle est faite, consiste en opérations qui relèvent du domaine technique et sont les mesures proprement dites de conservation; permettre sa lecture et la jouissance de tous ceux qui viennent la voir consiste en opérations qui relèvent du domaine culturel et sont des mesures esthétiques de mise en valeur.

## Bipolarité esthétique-histoire

Une œuvre d'art est à la fois une expérience esthétique et un témoignage historique : sa remise en valeur relève de la « bipolarité esthétique-histoire »[12].

La restauration d'une œuvre d'art qui a subi des transformations au cours du temps, exige de la montrer avec honnêteté sans cacher les traces de son histoire, mais sans oublier qu'elle est d'abord objet de délectation de la part du public. On peut imaginer deux attitudes différentes vis-à-vis du passé : soit le respect intégral du passage du temps au point de ne pas entraver la marche inexorable d'une œuvre vers sa dégradation, soit une reconstitution selon l'état original supposé de l'objet : la première conception est celle des romantiques qui, à la manière de Ruskin, préfèrent une œuvre en cours de destruction sous l'effet du temps, à peine lisible mais tout à fait authentique[13]; la seconde position est celle de ceux qui, à la manière de Viollet-Le-Duc, pensent pouvoir relever les ruines du passé et avoir suffisamment de connaissances pour imiter de manière vraisemblable l'ancien grâce à une conviction qui relève du positivisme[14].

Toute intervention de restauration est un subtil équilibre entre une présentation de type « archéologique » où l'œuvre est purifiée des apports du temps et où la matière originale, seule, parfaitement authentique, sans retouche ancienne, est montrée, même si son caractère lacunaire en perturbe la lecture, et une « rénovation » où les accidents apportés par le temps sont cachés pour que l'œuvre apparaisse complète, lisible comme si elle sortait de l'atelier de l'artiste; restaurer signifie respecter ces deux exigences contradictoires historique et esthétique. Entre ces deux pôles, il existe un grand nombre de degrés d'intervention possible : la conscience d'une grande liberté dans le choix de l'intervention rend d'autant plus grande la responsabilité de la décision.

## La « patine » : une notion capitale et complexe[15]

Il n'est pas compréhensible qu'une œuvre ancienne apparaisse comme neuve, elle ne doit, ni ne peut, être remise dans son état original mais dans l'état actuel des maté-

Atelier du Louvre.

riaux originaux : elle doit garder l'effet du passage normal du temps ou « patine ». Le mot « patine » ne signifie pas un élément matériel identifiable de manière scientifique, c'est une notion imprécise car il s'agit d'un effet global apprécié et transmis par les amateurs; selon Cesare Brandi la patine est un voile qui enlève son caractère matériel à l'œuvre d'art[16]; Paul Philippot a cherché à définir le mot « patine » par les divers aspects que recouvre l'effet du passage du temps : pour lui la « patine » signifie toutes les altérations dues au vieillissement normal de la matière; elle englobe les variations de couleur, c'est-à-dire le jaunissement normal du vernis et les diverses évolutions de chaque pigment, les variations de transparence de la couche picturale[17] et les craque-

lures d'âge dont le réseau, qui s'empoussière de plus en plus, apporte un assombrissement général. Selon un sens très étroit, la « patine » pourrait désigner une mince couche grisâtre qui serait la couche originale de protection (vernis ou blanc d'œuf mêlée des poussières qui s'y sont fixées pendant le séchage, de la même manière que l'on définit « la patine » d'une fresque par son aspect pris après fixation des impuretés sur la surface, pendant le temps de carbonation[18]. Selon un sens large, la « patine » c'est « l'enveloppe que le temps apporte à l'œuvre d'art »[19]. Respecter la patine d'un tableau c'est aussi bien garder sur le tableau en cours de nettoyage, un peu de vernis ancien, que laisser visibles le réseau de craquelures d'âge et de petits manques de la couche de couleur ou usures, sans vouloir les retoucher : ces traces du passage du temps, laissées visibles par respect de l'exigence historique, sont des facteurs d'authenticité de l'œuvre.

## La restauration affaire de dialogue avec les scientifiques

Les divers cas montrés dans l'exposition sont étudiés sous l'angle des décisions à prendre qui sont le reflet de la collaboration entre historiens d'art, restaurateurs et scientifiques et sous l'angle de la responsabilité en jeu.

Les interventions à mener nécessitent un examen des possibilités techniques offertes par l'œuvre grâce à l'expérience du restaurateur et à l'aide des chimistes et des physiciens. Avant toute intervention sur un tableau, un dossier scientifique est constitué : il comporte une radiographie qui renseigne sur l'état profond de la matière, des photographies sous fluorescence d'ultraviolet utiles pour documenter l'état superficiel du tableau, des photographies en lumière tangentielle et sous rayonnement infra-rouge, ces dernières utiles pour connaître un état intermédiaire sous vernis et glacis et quelquefois pour orienter la connaissance de certains pigments[20]. Ce dossier est indispensable, il permet non seulement de documenter clairement un état qui va disparaître mais de prévenir des problèmes que le restaurateur aurait pu ne découvrir qu'au cours de son travail; un tel dossier améliore la précision de l'évaluation du travail à envisager et permet de

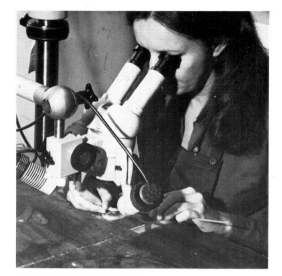

Restaurateur au travail sous microscope.

mieux se rendre compte du résultat à espérer. En cours de travail, des analyses chimiques de la matière picturale sont menées chaque fois que l'exige un doute sur l'authenticité totale ou partielle de telle ou telle zone de couleur où quelquefois la matière originale est enfouie sous un habile repeint.

L'histoire de la collaboration de la science à la conservation de l'œuvre d'art remonte à la fin du XVIIIe siècle quand le physicien Charles aidait les amateurs à mieux voir les tableaux du Louvre avec son « mégascope »[21] et quand au début du XIXe siècle les chimistes furent appelés soit pour connaître les matériaux anciens, comme Chaptal qui a étudié les pigments des fresques de Pompéi[22], soit pour suivre les travaux de restauration, comme par exemple Guyton de

Morveau et Berthollet qui ont appartenu à la Commission chargée de rendre compte de la transposition en 1800 à Paris de la *Vierge de Foligno* de Raphaël[23]. Elle se poursuit en plein XIXe siècle avec la mise au point de couleurs nouvelles stables (le chimiste Thénard découvre en 1802 le bleu de cobalt[24]), l'étude de l'action des solvants sur les huiles et résines par Faraday vers 1850 en Angleterre[25], et la radiographie d'un tableau en Allemagne en 1896 par Rötgen dès la découverte des rayons $X$[26]. Au XXe siècle, la mise au point de solvants nouveaux[27] et de méthodes d'analyses nouvelles pour mieux connaître les pigments et les liants[28] a apporté une aide considérable à la restauration.

## La restauration affaire de dialogue avec les historiens d'art

L'étude stylistique de l'œuvre par les historiens d'art et les documents relatifs à son histoire permettent de définir une attitude à adopter devant les diverses trahisons subies par l'œuvre au cours du temps : jaunissement des vernis; transformations de l'image par des repeints et des agrandissements selon le goût changeant d'époques successives.

L'examen technique apporte une conviction sur les parts respectives de matériaux originaux et ajoutés, mais il n'est pas certain que l'on doive dans les collections publiques purifier systématiquement la part originale des apports successifs et faire table rase de l'histoire.

Les recherches d'archives sur un tableau, concernant sa provenance, ses mouvements et son rôle, permettent de mieux estimer le poids historique des transformations qu'il a subies. Les copies et les gravures sont aussi très utiles à étudier pour mieux comprendre la perception de l'œuvre au cours des siècles et quelquefois pour avoir une référence avant une dégradation importante et permettre une plus fidèle restitution.

De même que nous sommes reconnaissants à nos prédécesseurs d'avoir laissé des archives techniques, nous avons le devoir de transmettre aux générations futures la documentation que notre époque permet de réaliser : photographies en cours de travail (en couleur et en noir et blanc), et détails en macrophotographies. Le dossier documentaire est à la fois l'enregistrement du contrôle du travail et la justification de la décision d'intervention. Cette documentation est un matériel indispensable non seulement pour l'œuvre mais aussi à titre didactique pour garder un témoignage des techniques de restauration.

La restauration relève de la pluridisciplinarité[29] et la qualité d'une intervention résulte de la qualité du dialogue qui a pu s'établir entre le restaurateur qui a le redoutable privilège de toucher matériellement à l'œuvre, le scientifique qui peut apporter un supplément précieux d'information, mais auquel aussi la peinture ancienne pose sans cesse de nouveaux problèmes complexes d'identification au fur et à mesure que les méthodes d'analyse deviennent plus raffinées, et l'historien d'art qui par sa connaissance stylistique a une idée précise de l'état original.

## La triple règle de stabilité, lisibilité, et réversibilité

Cesare Brandi a mis l'accent sur la philosophie de la restauration et il fut le premier à jeter les bases d'un enseignement complet dans ce domaine en tenant compte de toutes ses dimensions techniques et culturelles.

Après lui, Paul Philippot a codifié sa pensée et en a résumé les diverses implications pratiques dans la triple règle stabilité, lisibilité, réversibilité[30] que doivent vérifier les interventions de restauration; les matériaux utilisés doivent être stables dans le temps; l'intervention doit rendre l'œuvre lisible à la fois sur le plan esthétique mais aussi sur le plan historique, avec honnêteté sans ambiguïté sur la part d'original subsistant; les solutions et les matériaux choisis doivent être réversibles c'est-à-dire susceptibles d'être supprimés sans endommager l'original, car tout apport est tributaire de son époque et contient des éléments étrangers à l'œuvre, introduits inconsciemment; une restauration ne doit pas engager l'avenir, or étant subjective elle doit être réversible.

Les trois notions de cette règle ont été acquises progressivement au cours des siècles. Depuis longtemps, la recherche de stabilité a été le but des restaurateurs qui maudissent toujours les matériaux de leur retouche dont la couleur fonce en vieillissant. La conscience de la réversibilité formulée en tant qu'exigence essentielle, est assez moderne et date de Cesare Brandi, mais on en trouve les prémices dès 1778 dans le décret chargeant Pietro Edwards du contrôle de la restauration des peintures publiques de la ville de Venise[31]. L'exigence de lisibilité de l'œuvre sous le double aspect historique et esthétique est aussi moderne et date de Cesare Brandi, mais on en trouve les racines au XVIIIe siècle, chez les dessinateurs qui devaient selon Caylus, en 1759, relever les monuments de l'antiquité en distinguant les parties anciennes des parties restaurées[32], et surtout en architecture dans les exemplaires restaurations de Giuseppe Valadier à partir de 1809 au Forum de Rome où l'Arc de Titus de marbre antique a reçu au XIXe siècle une proposition de restitution en travertin[33].

L'œuvre d'art, remise en état dans un atelier de restauration, est exposée de nouveau au public sur les cimaises du musée, où le visiteur vient pour apprécier et mieux connaître le patrimoine qui lui appartient. Un supplément de connaissance lui est apporté par la restauration : celle-ci comporte un subtil dosage entre le rôle éducatif de l'œuvre d'art et son rôle esthétique.

La restauration n'est pas le résultat de l'application de recettes mystérieuses, secrètes, d'ailleurs fort changeantes, révélées à un petit nombre d'initiés, mais plutôt une intervention critique[34] qui doit faire respecter le droit du chef-d'œuvre dans sa double signification historique et esthétique.

Cette exposition sur la restauration des peintures n'est pas un catalogue de méthodes mais vise à poser le problème de la restauration en tant que réflexion sur chaque cas individuel à la lumière d'une ligne directrice dont les applications peuvent évoluer.

# CONSTITUTION D'UN TABLEAU

Un tableau est constitué d'une couche picturale plus ou moins complexe posée sur un support.

Le support a varié au cours des siècles : il est de bois chez les Primitifs (chêne dans le Nord, peuplier dans le Sud), puis de toile dès la fin du xve siècle jusqu'à nos jours. On remarque quelquefois des supports de pierre (ardoise, marbre, lapis lazzuli) en Italie au xvie et xviie siècles et souvent de métal (cuivre ou cuivre étamé) en Flandres et en Hollande au xviie siècle.

La préparation est une couche de peinture plus ou moins épaisse posée sur le support pour en régulariser l'état de surface et le rendre apte à recevoir une couche de couleur. Elle est blanche à la colle de peau chez les Primitifs, (craie dans le Nord de l'Europe, gypse ou « gesso » dans le Sud). Au xvie siècle, une seconde couche blanche (blanc de plomb à l'huile) est intercalée entre la première préparation et la couleur et accentue la réflexion de la lumière. Aux xviie et xviiie siècles, la préparation est à l'huile et le plus souvent colorée (surtout brune ou rouge)[35]. Depuis le xixe siècle, elle est de nouveau blanche et le plus souvent à l'huile.

La couche de couleur est constituée d'un pigment et d'un liant[36]. Ce liant est souvent l'œuf en Italie jusqu'au milieu du xve siècle, quelquefois mixte, œuf et huile mêlés ou en couches superposées, à la fin du xve siècle.

L'usage de l'huile se généralise très tôt dans le Nord (xiiie siècle en Norvège, début du xve siècle en Flandres) plus tard en Italie (fin du xve siècle).

L'aspect émaillé de la peinture est considéré comme dû au rassemblement en surface, au cours du séchage, d'une partie du liant appelé « exsudat »[37].

Les pigments, en nombre restreint et relativement constant au Moyen-Age, se diversifient au xvie siècle mais surtout à la fin du xviiie siècle et au début du xixe siècle quand les progrès de la chimie permettent la synthèse de matériaux nouveaux. Une autre étape est franchie au milieu du xxe siècle avec la synthèse de pigments organiques stables.

Le glacis est une couche transparente (ou translucide), colorée; elle permet de faire vibrer les couleurs sous-jacentes. Un glacis est riche en liant, pauvre en pigment.

Le vernis, souvent à base de résine (mastic ou dammar), doit protéger la peinture mais aussi donner le maximum d'intensité aux coloris[38].

Les craquelures sont de deux types.

Les craquelures d'âge, ou de préparation, sont des ruptures profondes de la matière picturale, préparation comprise; elles sont acquises au cours du temps en fonction des mouvements du support. Les efforts des supports de bois, matériau anisotrope, causent des craquelures à direction privi-

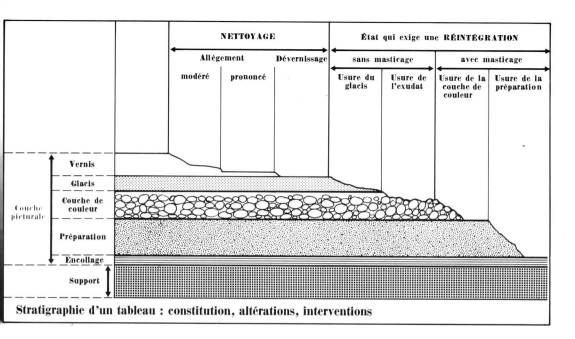

| | | NETTOYAGE | | | État qui exige une RÉINTÉGRATION | | | |
| | | Allègement | | Dévernissage | sans masticage | | avec masticage | |
| | | modéré | prononcé | | Usure du glacis | Usure de l'exudat | Usure de la couche de couleur | Usure de la préparation |

**Couche picturale**
- Vernis
- Glacis
- Couche de couleur
- Préparation
- Encollage

**Support**

**Stratigraphie d'un tableau : constitution, altérations, interventions**

légiée; s'il n'existe pas de toile noyée dans l'enduit, et surtout si cet enduit est mince, les craquelures sont plutôt fines et parallèles au fil du bois; s'il existe une toile noyée dans un enduit épais, le réseau principal de craquelures est large et perpendiculaire au fil du bois. Les efforts des supports de toile s'exercent dans toutes les directions et causent des craquelures à direction non privilégiée dont en particulier quelquefois des craquelures circulaires ou en forme « d'escargot ».

Les craquelures prématurées, ou de couleur, sont des ruptures de la seule couche colorée; elles n'affectent pas la préparation, apparaissent très vite après la création et sont dues à des difficultés de séchage : la matière sèche en surface, puis progressivement et avec difficulté en profondeur; en cours de séchage, elle se rétracte et entraîne la rupture de la surface, la couleur semble glisser sur la sous-couche.

# I
## L'ALLÉGEMENT DES VERNIS

L'allégement est l'amincissement ou l'enlèvement partiel des vernis ; il s'oppose au dévernissage ou enlèvement total des vernis.

Au cours des âges, les tableaux ont été revernis un très grand nombre de fois à titre d'entretien pour supprimer les matités, rendre de la transparence et de la profondeur à la peinture. En vieillissant les vernis s'assombrissent et apportent une harmonie jaune, brune ou rousse à des couleurs à l'origine diversifiées et trahissent les valeurs froides voulues par le peintre en les transformant en valeurs chaudes. Il devient indispensable au bout d'un certain temps de se rapprocher des couleurs originales et de procéder à un enlèvement partiel de cette trahison apportée par le temps. Mais il est nécessaire de laisser une mince couche de vernis au contact de la couche picturale et de respecter ainsi un éventuel vernis original subsistant ou son équivalent.

Ce choix de la politique de l'allégement plutôt que du dévernissage, pour des raisons esthétiques, techniques et éthiques, est une ligne d'action constante au Louvre définie par René Huyghe[39] et poursuivie par Germain Bazin ; le but est d'éteindre « la jactance de la matière » selon la formule de Cesare Brandi[40]. Les racines de la justification esthétique de l'allégement sont à rechercher chez Hogarth qui, dès 1753, précise que le temps fait évoluer les couleurs de manière discordante les unes par rapport aux autres, donc enlever complètement les vernis jaunis ne permet pas de se rapprocher de l'original mais découvre l'état actuel des matériaux d'origine : le dévernissage ne permet pas le retour aux couleurs d'origine, « le respect de la complexité du réel »[41] demande une intervention plus subtile. Cette justification esthétique de la conservation d'un certain voile unificateur apporté par le temps, qui confère une enveloppe à l'œuvre, répond aussi au souci de ne pas mettre à nu les usures de la couche picturale dont les blessures doivent passer au second plan pour ne pas perturber la lecture de tableau. Sur le plan technique, le problème est très difficile, mais on peut le résumer ainsi : il est souhaitable d'éviter à un solvant d'être en contact direct avec une couche picturale car il affaiblit toujours son liant selon le phénomène appelé « lixiviation »[42] ; un solvant ne doit pas atteindre les glacis, fragiles par nature à cause de leur minceur ou de l'existence de résine dans leur liant, comme dans la *Madone des Servi* de Coppo di Marcovaldo de 1261[43]; les glacis peuvent aussi être fragiles parce que, posés entre couches de vernis, comme chez Delacroix, ils seraient enlevés en même temps que ceux-ci dans un dévernissage. Du point de vue éthique, l'allégement réserve l'avenir car il préserve une part du vernis qui pourra plus tard être à son tour aminci.

L'allégement permet de se rapprocher d'un état supposé original sans avoir pour but de l'atteindre : ce type de nettoyage modéré enlève la part de trahison du temps sans enlever la part d'harmonie.

La couleur sombre des vernis fait l'objet depuis des siècles de polémiques entre les amateurs et les artistes. Les amateurs aiment souvent le ton chaud, doré des peintures anciennes qu'ils collectionnent tel Léopold de Médicis qui trouvait en 1657 qu'un Véronèse était trop frais[44]; lors des fameuses polémiques du XVIIIe siècle sur la « patine », certains tel Cochin pensaient que le temps améliorait un tableau en lui donnant un ton « harmonieux », d'autres tels Hogarth et Liotard ont ironisé sur le temps qui « enfume » l'œuvre et la trahit. Le ton jaune plaisait tant aux amateurs que les marchands pour flatter leurs clients posaient des vernis teintés : à Londres, le marchand de la Hante sacrifiait souvent à cette mode du « toning »[45], en France ce goût pour la peinture assombrie par un « jutage » correspond à l'époque du musée espagnol de Louis-Philippe[46] où la peinture sombre est à l'honneur.

La couleur sombre des vernis recouvrant au XIXe siècle les tableaux des galeries publiques a fait appeler ce ton « jus-musée »[47]. L'exagération de l'assombrissement a entraîné des réactions au milieu du XIXe siècle à la fois en Angleterre et en France pour retrouver les couleurs des maîtres; à Londres, Eastlake fit mener des nettoyages dits « scientifiques » avec la consultation du chimiste Faraday[48]; à Paris, Villot fit faire des nettoyages au Louvre qui outragèrent le monde des amateurs.

L'allégement est toujours une opération difficile, longue et précédée d'essais nombreux par le restaurateur qui doit choisir un solvant ou un mélange de solvants[49] assez volatils pour ne pas imprégner la couche picturale mais pas trop volatils car ils doivent permettre le gonflement du vernis et son transport d'un point à un autre ou « véhiculage »[50]. Les vernis ne sont pas tous susceptibles de pouvoir être allégés : leur nature doit permettre un travail progressif du solvant; ils ne doivent pas être artificiellement colorés; ils doivent recouvrir une couche picturale pure, non surchargée de retouches.

Pendant longtemps la couleur brun-roux des vernis a été considérée comme le plus souvent le résultat d'un « jutage » pour cacher des usures ou atténuer des coloris considérés comme trop vifs, mais des tampons d'allégement de vernis très assombris viennent de faire l'objet d'une analyse scientifique[51] et il est prouvé que la couleur du vernis ancien est due à son seul vieillissement; son intensité semble être fonction de la quantité de fer présent au cours du processus d'oxydation de la résine et de la formation de corps colorés de décomposition.

Il est rare qu'un tableau parvienne jusqu'à nous sans restaurations antérieures donc la couche picturale pure sans surcharge de retouches, et pourtant l'allégement dans ce dernier cas est possible si l'on prend la

précaution au préalable d'enlever localement les retouches anciennes en faisant à
cet endroit un enlèvement plus accentué de
vernis pour atteindre le niveau de ces
repeints anciens; puis on transporte le vernis depuis les zones où il est épais sur une
zone pure vers ces ouvertures pour obtenir
une « égalisation » du vernis qui devra
subsister sur l'ensemble du tableau.

Un allégement peut être plus ou moins
accentué; son degré est choisi en fonction
des possibilités techniques mises au point
par le restaurateur et des souhaits esthétiques jugés nécessaires pour la remise en
valeur de l'œuvre dénaturée. Les méthodes
anciennes de nettoyage étaient simples et
radicales, on utilisait même de la cendre de
hêtre, ce qui signifie de la potasse...; dès le
XVIIIe siècle en Italie, le procédé de nettoyage fut raffiné et l'on utilisa la « mista »[52],
mélange d'alcool et d'essence de térébenthine qui permettait de moduler le traitement des vernis; parallèlement on utilisa
le « déroulage » ou enlèvement à sec du
vernis; enfin de nos jours, un très grand
nombre de solvants est à la disposition des
restaurateurs pour leur permettre une
action encore plus modulée en fonction des
divers cas rencontrés.

## Allégement d'un vernis jaune

### No 1

BRONZINO (Angelo di Cosimo, dit)
Monticelli 1503 - Florence 1572
*La Sainte Famille*
Bois, H. 1,30; L. 1,03
Louvre (RF 1348)

Cette composition doit être datée vers 1540-
1542, considérée comme originale et non
comme copie du tableau du Kunsthistorisches
Museum de Vienne dont elle est très proche
sans qu'il soit possible de déterminer l'antério-
rité de l'une par rapport à l'autre. Cette œuvre
du maniérisme florentin est significative des
recherches plastiques de Bronzino et de l'acidité
de ses coloris.

Les vernis successifs ont jauni : ils unifor-
misent les coloris à l'origine diversifiés et
transforment les valeurs froides et acides,
caractéristiques du maniérisme florentin, en
valeur plus chaudes au point de dénaturer
l'œuvre.

Il a été décidé un allégement de vernis
pour se rapprocher de l'harmonie voulue par
l'artiste et retrouver la perspective atmosphérique aux lointains bleus vifs.

L'analyse chimique des tampons d'allégement vient de prouver que la coloration
jaune du vernis n'est pas due à un apport de
couleur lors d'une transformation volon-
taire, mais résulte du seul vieillissement
naturel de la résine.

L'amincissement progressif des vernis est
possible en raison de leur nature, parce qu'ils
sont transparents sans apport de pigments
et parce que la couche picturale est pure
sans surcharge de retouches anciennes sou-

2

vent situées entre les divers vernis à « véhiculer ».

Le degré d'allégement a été choisi modéré parce que le jaunissement lui-même du vernis était modéré; la mince pellicule de vernis, subsistant après allégement, enveloppe les coloris audacieux et la forte plasticité de la peinture originale; les vernis jaunis ont été suffisamment amincis pour retrouver l'éclat[53] de la matière de Bronzino et un état de surface de la peinture plus différencié : en relief dans le ciel et les vêtements, émaillé dans les carnations dont l'aspect très lisse[54] est caractéristique de l'artiste.

Restaurateur : Maud Chocqueel (1979)

## Allégement d'un vernis jaune intense

### N° 2

GUERCHIN (Giovanni Francesco Barbieri, dit)
Cento di Ferrara 1591 - Bologne 1666
*Les larmes de saint Pierre*
Toile, H. 1,21; L. 1,59
Louvre (Inv. 78)

Guerchin, formé à Bologne chez les Carrache, sensible aux contrastes violents d'ombre et de lumière d'essence caravagesque, acquit dans sa maturité une monumentalité et une simplicité dont ce tableau témoigne; il utilisa souvent, comme ici, des blancs éclatants et le bleu très vif du lapis lazuli.

Les vernis successifs ont pris avec le

temps une coloration jaune-marron intense qui a transformé en vert la couleur bleue du manteau de la Vierge et assourdi notablement les blancs : le tableau est trahi.

L'analyse chimique vient de démontrer que cette couleur jaune est due au seul vieillissement naturel de la résine ; l'intensité de la coloration est probablement due à la présence d'une certaine quantité de fer pendant l'oxydation de la résine.

Le degré modéré d'allégement choisi a permis de découvrir des accords subtils de demi-teintes roses et oranges de la robe de la Vierge, totalement perdus par jaunissement du vernis ; la mince pellicule de vernis subsistant après allégement permet de ne pas exalter la vivacité du bleu de lapis lazzuli[55] presque inaltérable et des blancs de céruse[56], pigment dont la stabilité dans le temps est particulièrement grande.

Dans les zones allégées à un degré modéré, ont été ménagées de petites surfaces où l'allégement plus prononcé montre la diversité des choix possibles et prouve que le degré choisi est très modéré. Au cours de l'allégement général, ces zones davantage allégées seront égalisées : le vernis sera « véhiculé » depuis les zones chargées en vernis roux vers celles qui le sont moins.

Le caractère exceptionnellement pur[57] de la couche picturale, ne présentant pas de retouches anciennes, a permis d'envisager un allégement mais la surface grumeleuse du tableau, qui retient irrégulièrement le vernis, a beaucoup compliqué l'égalisation : ce phénomène, dit de « lithargeage »[58], dû probablement à un broyage grossier de la céruse de la préparation, rend la régularité

de l'allégement particulièrement difficile à obtenir.

L'allégement modéré a permis de retrouver la composition d'un coloriste et de rendre plus évidents les caractères habituels de Guerchin : le naturalisme dont témoignent le visage et le cou de saint Pierre et le goût pour l'usage des bleus de lapis lazzuli[59].

Restaurateur : Jacques Roullet,
chef d'atelier (1970)

## Allégement d'un vernis roux

### N° 3
WOUWERMAN (Philips)
Haarlem (?) vers 1630 - Haarlem 1668
*Grand combat de cavaliers et de fantassins*
Toile, H. 0,99 ; L. 1,35,
signé en bas à gauche du monogramme : *Phils. W.*
Louvre (Inv. 1959)

Wouwerman affectionne les scènes de cavalerie aux couleurs vives sous un ciel nuageux. Ce choc de cavalerie de sa maturité est caractéristique de l'aboutissement de son style qui évolue vers une précieuse miniaturisation, une animation de plus en plus grande et une palette refroidie gris argent.

Le vernis roux qui recouvre cette couche picturale a longtemps rendu inexposable ce tableau ; jusqu'à une date très récente cette coloration était considérée comme un « jutage », c'est-à-dire une couche artificiellement colorée dont on recouvrait soit les tableaux aux coloris trop froids ou trop vifs, pour les mettre au goût du jour grâce à un « jus-musée », soit les œuvres dont la matière

**3**

picturale était trop usée, pour cacher leur véritable état. L'analyse chimique des tampons d'allégement vient de démontrer que la couleur rousse est due au seul vieillissement naturel de la résine qui s'oxyde peut-être en présence d'une quantité inhabituelle de fer.

L'œuvre était si dénaturée qu'un allégement prononcé a été décidé et a fait découvrir l'excellente qualité d'une œuvre importante de l'artiste dans un très bon état de conservation.

La matière picturale pure, sans surcharge de retouches anciennes, a permis un allégement progressif des vernis roux et la remise en valeur des différents plans; la diversification des coloris du premier plan, sous un éclairage contrasté, s'oppose à la relative monochromie gris-clair de l'arrière-plan; tout le sujet se détache sur un ciel nuageux aux accords raffinés gris-argent et gris-rosé.

L'allégement du vernis roux permet la véritable résurrection d'une œuvre dont il était devenu impossible de juger de la qualité.

Restaurateur : Maud Chocqueel (1979)

4

## Allégement d'un vernis jaune et encrassé

### N° 4
WYNANTS (Jan)
Haarlem vers 1630 - Amsterdam 1684
*Lisière de forêt*
Toile, H. 1,17; L. 1,45, signé et daté en bas
à droite : *J. Wynants F. A° 1668*
Louvre (Inv. 1967)

Spécialiste des petits formats, Wynants traite ici dans une dimension exceptionnelle son thème favori : la forêt avec au premier plan un arbre pathétiquement coupé se détachant sur des lointains bleutés et calmes. On peut noter une influence du plus célèbre paysagiste de l'époque, Jacob Ruysdaël, mais interprétée avec une exagération décorative très personnelle. Les figures et les animaux ont sans doute été peints par Adrian van der Velde, exemple courant de collaboration en Hollande aux XVIIe et XVIIIe siècles.

Un vernis jaune et sale recouvre ce paysage, en masque la précision, transforme ses couleurs et le dénature.

L'analyse chimique des tampons d'allégement a prouvé que l'assombrissement des vernis résulte de son seul vieillissement naturel sans adjonction de couleur. La matière picturale est pure, sans surcharge de retouches anciennes, et permet de véhiculer le vernis.

Il a été décidé un allégement modéré pour retrouver la gamme froide des paysagistes néerlandais et les divers plans aux coloris habituels, codifiés par la règle de la perspective atmosphérique : les bruns au premier plan se détachent sur des verts dans les plans intermédiaires et des bleu-gris en arrière plan. La technique originale est riche en glacis, vert-sombre ou bruns, souvent fragiles[60], qui sont parfaitement conservés après allégement ; les audacieux rehauts de peinture rose accrochent de nouveau la lumière ; la mousse gris-bleu et toute la végétation parasite sur les troncs à demi-morts réapparaissent.

Une mince pellicule de vernis ancien a été respectée sur tout le tableau qui a gardé son unité tout en retrouvant une grande précision dans les détails décoratifs.

Restaurateur : Maud Chocqueel (1979)

## Allégement d'un vernis d'aspect bitumineux

### N° 5
STEENWYCK Le Jeune (Hendrick)
Francfort-sur-le-Main 1580 -
Londres vers 1649
*Intérieur d'église*
Bois, H. 1,23 ; L. 1,74, signé sur le 2e pilier
à droite : *H. v. Steinwick*
Louvre (Inv. 1865)

Spécialiste des intérieurs d'églises avec un rendu très précis de l'architecture, Steenwyck donne une grande importance à la perspective. Ses éclairages diversifiés mettent en évidence un jeu subtil de valeurs dans la monochromie générale.

Cet intérieur d'église devenu presque complètement noir et illisible n'était plus guère exposable depuis très longtemps : il semblait à peine restaurable tant était grande la crainte que le vernis sombre, qui le recouvrait, eût été teinté pour cacher de graves usures et lacunes de la matière originale. Le vernis a une coloration roux sombre et un aspect « grumeleux » qui évoquent l'effet du bitume[61] : sa couleur, chaude à l'origine, plombe en vieillissant, et son mauvais séchage donne lieu à la formation d'un réseau de craquelures dites « prématurées » ou crevasses qui lui donne un aspect légèrement en relief.

L'allégement a été décidé pour retrouver la gamme froide des peintres d'architecture hollandais du XVIIe siècle : à part quelques accidents localisés le long des joints du support, la couche picturale gris-clair et mince a réapparu en assez bon état ; des éclairages très diversifiés ont été redécouverts depuis la subtile atmosphère gris-violacé de la nef à l'arrière plan à droite jusqu'au violent éclairage froid de la chapelle latérale à gauche.

Le vernis teinté trahissait l'œuvre et changeait son atmosphère : peut-être le sujet, une église gothique, avait-il inspiré un peintre-restaurateur romantique qui avait « embelli » l'œuvre claire et précise du

XVIIᵉ siècle en lui ajoutant, selon le goût de l'époque, une ombre chargée de mystère. L'amincissement des vernis a éclairci l'œuvre et a rendu sa tonalité générale froide à cette peinture d'architecture ; la petite quantité de vernis subsistant après allégement confère une certaine densité à la matière picturale qui est devenue plus transparente avec le temps : l'allégement a rendu sa vérité au tableau.

Restaurateur : Graciela Mondorf (1979)

5

25

5. Détail montrant le vernis grumeleux en haut à droite, la couche picturale retrouvée lisse après allégement en bas.

# II
# LES REPEINTS

Un tableau a fait l'objet de soins de la part de nos prédécesseurs qui ont voulu soit cacher des accidents par des retouches successives, soit transformer l'image ancienne en la mettant au goût du jour et ont surchargé la couche picturale de repeints.

Ces repeints peuvent être superficiels, entre vernis ou très profondément situés entre la couche picturale et le vernis : selon leur localisation, ils sont susceptibles d'être enlevés en même temps que la suppression de certaines couches de vernis. Il est important de déterminer, avant le nettoyage, l'ampleur de ces repeints, leur rôle esthétique et historique, leur valeur intrinsèque et relative vis-à-vis de l'original avant de décider de leur conservation ou de leur suppression. L'aide des documents de laboratoire et de la recherche d'archives est essentielle dans ce cas. Un repeint, bien que matière non originale, peut ne pas devoir être enlevé : il faut que sa suppression corresponde à une amélioration esthétique; l'enlèvement d'un repeint[62] ne se justifie pas si l'œuvre apparaît après purification si lacunaire qu'elle devient imprésentable.

Pour préciser le rôle des repeints, une tentative de classement est proposée. Les repeints dits « techniques » sont des retouches anciennes qui ont eu pour but de cacher des accidents profonds ou superficiels mais se sont altérées, en général assombries avec le temps et défigurent l'œuvre; ils doivent être enlevés. Lorsqu'un repeint recouvre de la matière picturale originale, il est souvent appelé « surpeint ».

Le repeint de « style » recouvre une peinture pour la mettre au goût du jour, sans que le tableau ait été assez gravement accidenté pour justifier une telle retouche : des fonds d'or de primitifs ont été recouverts de paysages comme le *Polyptyque de San Domenico de Fiesole* de Fra Angelico du XVe siècle dont le cadre architectural et le paysage ont été peints par Lorenzo di Credi au début du XVIe siècle[63], comme la *Pieta de Tarascon* où le fond d'or gravé du XVe siècle français disparaissait sous un sombre paysage « romantique ».

Quelquefois des peintres-restaurateurs se permettaient de donner à des tableaux d'école les caractères du maître, ce sont « les tableaux à tournures » appelés en italien « quadri di fabrica ». Le restaurateur Horsin Déon raconte en 1851 comment son rival Charles Roehn refait des figures à la manière de Van de Velde[64].

Le « repeint de pudeur » est dû au zèle bien connu des bigots qui épisodiquement, au cours des siècles, font recouvrir les nudités de voiles pudiques : dans le *Jugement Dernier* de l'Hospice de Beaune, les nudités de Rogier Van der Weyden ont été recouvertes au XIXe siècle par le peintre Chevaux[65]; dès le 21 janvier 1564, un ordre de la Congrégation pour l'application des décisions du Concile de Trente a chargé Daniele da Volterra de couvrir les nus du *Jugement Dernier* peint entre 1537 et 1541 par Michel-Ange à la Chapelle Sixtine, ce qui lui fit donner le surnom de « Braghettone »[66].

Les « repeints iconographiques » correspondent à une volonté de préciser pour instruire : des attributs ont été ajoutés, souvent à la fin du XVIIIe siècle[67], à des figures qui n'en comportaient pas ; on a même travesti des figures profanes en figures religieuses comme la *Dame à la licorne* de Raphaël de la Villa Borghèse transformée en une *Sainte Catherine* avec la palme du martyre et dont le lourd revers du manteau cachait les épaules et la licorne[68].

Ces repeints de style, de pudeur et iconographique, qui transforment une image, répondent à une volonté précise à une époque donnée et ont toujours une valeur esthétique et historique ; ce n'est d'ailleurs pas un hasard si cet aspect des repeints a toujours intéressé ceux qui ont écrit sur la restauration comme Jacques Guillerme et Alessandro Conti. On ne peut envisager d'enlever de tels repeints que si l'on a l'assurance d'une matière originale sous-jacente encore existante et en bon état.

Les repeints ont aussi souvent pour but de masquer l'état fragmentaire d'œuvres appartenant en réalité à un ensemble qui fut disloqué au cours du temps ; des raisons commerciales ont amené à masquer ces traces de démembrement ; si l'œuvre est profondément trahie, il est souhaitable de rechercher et de montrer la forme originale. Si l'on peut à la fois garder des repeints qui masquent un état fragmentaire et clairement faire apparaître tout l'original présent, sans ambiguïté, il est préférable de choisir la conservation plutôt que la suppression ; un tympan à fresque du XIIe siècle à demi détruit à Sant'Angelo in Formis en Italie a été complété au XVIIe siècle : il a été jugé bon de garder le complément ancien dans la mesure où l'original sous-jacent n'existe plus.

## Repeint dit « technique »

**N° 6**
MASSYS (Jan)
Anvers 1509 - Anvers vers 1573
*Judith et Holopherne*
Bois, H. 1,05 ; L. 0,75
Louvre (RF 123)

Considéré autrefois comme une réplique d'atelier de l'œuvre signée « Opus Johanis Matsiis » datée 1543 sur la lame, de l'ancienne collection Dannat, aujourd'hui au musée de Boston, ce tableau est remis en valeur par la restauration et rendu à l'artiste.
Ce nu aux ombres fortes se détachant sur un fond sombre témoigne du maniérisme nordique où les influences plastiques italiennes se superposent à l'inspiration bellifontaine.

Le corps de Judith est maculé de taches de repeints assombris visibles sous le vernis jauni. Destinées à l'origine à masquer des accidents, ces retouches anciennes sont appelées « repeints techniques ». Le nettoyage du tableau consiste à la fois à alléger le vernis qui dénature les ombres froides violacées de Massys, et à enlever les repeints, car ceux-ci se sont altérés et, opaques,

**6**

qui l'enrobe; après purification, il faut transporter vers cette zone du vernis pris dans une autre zone riche en vernis mais pure, sans retouche (rideau vert, vêtement rouge), pour égaliser la couche de vernis qui devra subsister sur la peinture; l'essai d'allégement mené sur la main gauche de Judith est un exemple de l'état final possible à obtenir[69].

A côté des lacunes accidentelles claires, découvertes à droite dans le buste du personnage, ce tableau présente une longue griffure verticale qui a la particularité de traverser la matière originale sans enfoncement : il ne s'agit pas d'un accident, mais d'un défaut original du support de bois avant qu'il ne reçoive la peinture; le tracé roux de cette griffure est probablement dû à des remontées du tannin du chêne qui aurait diffusé dans la peinture. On remarque, le long du joint de droite du panneau, une zone claire qui ne montre pas de solution de continuité de la matière picturale originale, donc pas d'usure en surface; il se peut que le panneau déjà préparé (couche de craie à la colle recouverte de blanc de plomb à l'huile)[70] ait été légèrement poncé pour parfaire sa planéité et que la couche de blanc de plomb couvrante et fortement réfléchissante ait disparu; la pellicule colorée devenant plus transparente avec le temps laisse voir localement la craie le long du joint.

Restaurateur : Jeanne Amoore (1979)

débordant l'accident, ils cachent localement la matière picturale originale émaillée : celle-ci doit être purifiée de ces apports qui la trahissent et ce nu doit retrouver son caractère à la fois plastique et incisif. Les repeints sont localisés sur les seules carnations et ils sont situés entre les couches de vernis : il est nécessaire d'enlever complètement, avec le repeint, toute la part de vernis

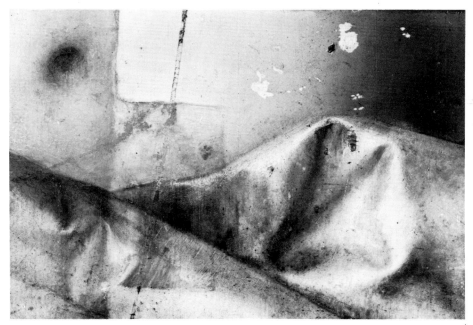

**6. Détail en cours d'allègement montrant au centre de larges repeints subsistant dans du vernis et débordant un accident filiforme.**

## Repeint de style

### Nᵒ 7
GIOVANNI DI PAOLO (?)
Toscane xvᵉ siècle
*Vierge*
Bois, H. 0,46; L. 0,30
Avignon, Musée du Petit Palais (Inv. 20567)

L'artiste s'inspire ici de la *Vierge de l'Annonciation* de Simone Martini peinte en 1333 pour le Dôme de Sienne (Florence, Offices), à une époque qui semble être le xvᵉ siècle comme en témoigne le nimbe, dont le dessin semble pour Zeri proche de ceux habituellement rencontrés chez Giovanni di Paolo.

Un doute existait quant à l'authenticité de ce petit panneau : le support de peuplier et la dorure au bol rouge[71] semblaient authentiques, mais le visage de la Vierge apparaissait relever de l'esthétique du xixᵉ siècle.

L'examen radiographique permit de supposer qu'un visage plus ancien, peut-être du xvᵉ siècle, aux yeux « giottesques », se trouvait sous le visage du xixᵉ siècle : le nom de Giovanni di Paolo fut même avancé. Des sondages filiformes faits au scalpel, sous le microscope, dans les zones

7. État avant restauration.

7. Radiographie.

7. État en cours de restauration.

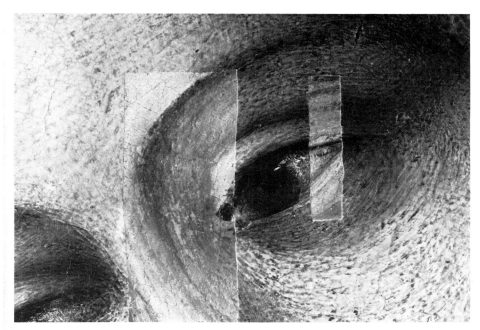

**7. Détail montrant l'œil du XVᵉ siècle qui apparaît au cours de l'enlèvement du repeint du XIXᵉ siècle.**

caractéristiques (œil, bouche), confirmèrent la présence d'une matière ancienne, émaillée, à fines craquelures, retrouvée en bon état sous l'épaisse et grasse matière picturale du XIXᵉ siècle. La carnation sous-jacente mince, posée par touches juxtaposées (« a tempera »)[72] sur une terre verte est caractéristique de la technique des Primitifs italiens;[73] sous les lèvres charnues du XIXᵉ siècle apparaissent les lèvres plus nerveuses d'un Primitif italien; le nez un peu épaté du XVᵉ siècle avait été remplacé par un nez plus droit et plus mince au XIXᵉ siècle; l'œil original à l'iris noisette avait été remplacé par un œil noir au XIXᵉ siècle. Ce début de nettoyage confirme l'attribution proposée à Giovanni di Paolo. L'intervention actuellement limitée au visage devra se poursuivre sur les cheveux et le manteau de la Vierge.

Aucun accident découvert jusqu'à ce jour ne justifiait de repeindre la totalité de ce visage : il s'agit d'un repeint de style dont la raison était purement esthétique et que l'on a commencé d'enlever quand a été acquise la certitude d'une couche originale sous-jacente en bon état.

Restaurateur : Graciela Mondorf (1979)

Étude du Laboratoire de Recherche
des Musées de France

*Le film radiographique obtenu d'après cette Vierge attribuée à Giovanni di Paolo a permis de retrouver une vision de l'œuvre qui ne peut plus faire douter de son authenticité. En effet, par leur pouvoir pénétrant, les rayons X mettent en évidence le support de bois de peuplier recouvert d'un enduit épais sur lequel, à l'aide de traits incisés, l'artiste a cerné et drapé le manteau de la Vierge. Le visage et la main sont travaillés avec des matériaux denses, et la différence du modelé, de l'expression, des caractéristiques du visage observée sur ce document est profonde par rapport à celui que représentait le tableau lorsqu'il fit l'objet d'une étude au Laboratoire.*

*L'état de conservation apparaît assez bon ; il faut donc admettre que pour des raisons de style l'œuvre fut repeinte sans doute au XIX<sup>e</sup> siècle : le visage s'est allongé, adouci, les yeux et la bouche n'expriment plus la souffrance, mais une grâce un peu mièvre, les épaules sont élargies jusqu'en bordure du tableau.*

*Une étude de la matière picturale a également confirmé la présence en sous-couches de gesso et de pigments compatibles avec une œuvre du XV<sup>e</sup> siècle, appliqués en tempera à l'œuf, recouvertes d'un épais vernis, puis de couches de repeints étendues à l'huile et constituées de pigments nettement postérieurs au XVII<sup>e</sup> siècle.*

## Repeint de pudeur

### N° 8

VAN ORLEY (Bernard)
Bruxelles vers 1488 - Bruxelles 1541
*La Sainte Famille*
Bois, H. 1,07 ; L. 0,87 ; signé et daté
sur le bas du soubassement de marbre à droite :
*BERN ORLEYN PINGEBAT ANNO VERBI 1521*
Louvre (RF 1473)

Peintre de la Cour de Bruxelles, Van Orley, connu comme portraitiste officiel, garde la matière émaillée traditionelle des Primitifs flamands.
Son style s'italianise par adoption d'éléments décoratifs Renaissance et sous l'influence du courant « romaniste nordique » qui lui confère plus de plasticité.

Après allégement du vernis jauni qui recouvrait tout le tableau et enlèvement des repeints techniques, il subsistait un repeint de pudeur sur l'enfant Jésus représenté nu à l'origine ; ce voile de pudeur gris-verdâtre s'inspirait du voile gris-rosé original mais sa matière épaisse ajoutée tardivement cachait les craquelures de la matière du XVI<sup>e</sup> siècle. Aucune lacune profonde n'avait été détectée à l'examen radiographique sous ce repeint. Un sondage confirma le bon état de la matière picturale sur l'enfant nu, sauf quelques menues usures. Il a été décidé d'enlever cet apport tardif, qui ne respectait pas l'œuvre de van Orley, pour retrouver et mettre en valeur l'œuvre du XVI<sup>e</sup> siècle.

Quelques taches infiniment anciennes subsistent dans le ciel mais ne peuvent être enlevées sans risque d'usure de la matière

Ensemble avant enlèvement du repeint de pudeur.

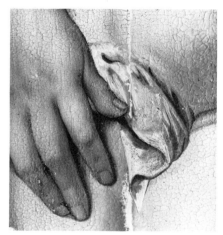

8. Détail au début de l'enlèvement du repeint.

picturale : elles ont été gardées. La réintégration a consisté à faire une retouche
« illusionniste » sur les lacunes (joints, main
de l'ange) et à atténuer les usures de la
matière, par un glacis jusqu'au bord des
craquelures, mais à laisser celles-ci très
visibles. En bas, dans la signature, des
lettres et des chiffres sont repeints : le
chiffre 1 est un repeint ancien sur mastic,
le chiffre 2 est un repeint sur un fragment
original ; ces repeints ont été gardés.

En haut et en bas, un espace de 6 à
8 mm de bois nu montre que le panneau
entrait dans une feuillure de cadre.

Restaurateur : Geneviève Lepavec (1980)

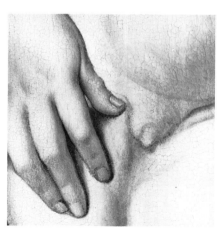

8. Détail après enlèvement du repeint.

**9**

éclairage contrasté qui met en évidence l'âpreté des expressions et le raffinement des couleurs du peintre, célèbre décorateur des Médicis à Florence, des Farnèse à Rome.

Ce tableau, autrefois sur un support de bois fait de trois planches assemblées, a été transposé sur toile par Fouque en 1806; à ce moment-là, les rives des planches le long des joints étaient déjà dégradées et avaient dû causer la chute de la peinture, ce qui justifia d'importants repeints actuellement très altérés et assombris, perceptibles sous le vernis jauni.

Le nettoyage consiste à alléger le vernis très jauni et à enlever les retouches anciennes qui se sont assombries, sont devenues des taches et qui souvent débordent l'accident réel qu'elles sont censées masquer. Les repeints superficiels sont enlevés en même temps que l'amincissement du vernis; ils recouvraient des usures ponctuelles souvent réparties dans les ombres brunes comme en témoignent les visages en haut à gauche. Les repeints situés en profondeur sous les vernis jaunis exigent localement un allégement plus prononcé pour que l'on puisse les atteindre et les enlever, soit au solvant soit mécaniquement à l'aide du scalpel; le très large repeint longitudinal à droite sur le buste du Christ cache une grande part d'original subsistant en bon état et que le nettoyage fait réapparaître; la très importante zone de repeints longitudinaux à gauche dans la chevelure brune de saint Thomas et sur son manteau bleu montre une matière originale très lacunaire, complètement usée dans les cheveux et avec

## Repeints assombris et vernis jauni

### N° 9

SALVIATI (Francesco de Rossi, dit)
Florence 1510 - Rome 1563
*L'Incrédulité de saint Thomas*
Toile, H. 2,74; L. 2,33. Signé sous le pied
de saint Thomas *FRANC SALVIATO FECIT*
*OPUS*
Louvre (Inv. 593)

Typique du maniérisme florentin des années 1540 - 1560, cette composition serrée présente de nombreuses figures monumentales dans un

**9. Détail en cours d'enlèvement du repeint.**

de rares îlots épars de lapis lazzuli dans le bleu repeint au bleu de Prusse[74]. Ces zones, correspondant aux rives dégradées du support de bois original, ont fait l'objet de repeints exécutés à l'huile[75] qui peuvent dater de 1806, époque de la transposition.

Quelquefois, le peintre-restaurateur d'autrefois a trouvé plus facile de repeindre toute une zone usée plutôt que de « repiquer » ponctuellement les usures telles celles du drapé du manteau de l'apôtre debout à gauche : ne comprenant pas qu'il s'agissait du même tissu bleu clair à reflets roses que

la partie basse du manteau, il l'a repeint en un terne bleu-vert et l'a interprété en revers, de nature différente, en faussant son rôle.

Après l'enlèvement de ces repeints profonds, le vernis est transporté, depuis une zone où il est épais, sur une couche picturale pure, jusque vers une zone allégée à un degré supérieur à celui choisi pour permettre la purification de l'œuvre; cette égalisation du vernis rend son unité au tableau, la mince pellicule de vernis blond qui lui est laissée lui rend de la profondeur.

Le nettoyage permet de retrouver la plus

grande quantité d'original subsistant et la qualité d'exécution de Salviati : sa précision, ses coloris acides et changeants, les « cangianti »[76] du maniérisme et des raffinements devenus non perceptibles avec le temps comme le baudrier de laque rouge transparente sur le buste du Christ.

Restaurateur : Jacques Roullet,
chef d'atelier (1979)

Étude du Laboratoire de Recherche des Musées de France

*Les radiations infra-rouges ont un double pouvoir : d'une part, rendre transparents vernis et glacis et restituer ainsi une vision de l'œuvre qui se situe entre l'esquisse et le tableau achevé ; d'autre part, rendre réfléchissants ou absorbants les pigments selon qu'ils sont d'origine minérale ou organique.*

*La photographie infra-rouge d'après « L'incrédulité de saint Thomas » met en évidence les restaurations importantes nécessitées par les accidents de la couche picturale situés le long des jointements de planches, le tableau étant à l'origine peint sur bois puis transposé sur toile ; d'autres interventions sont visibles sous forme de taches plus ou moins sombres, tantôt ponctuelles, tantôt largement localisées.*

*L'apôtre situé au-dessus de saint Thomas est traversé d'une longue ligne de retouches correspondant au jointement d'une ancienne planche, son visage et son vêtement sont affectés de nombreux repeints dont la composition, différente de la matière originale, les fait apparaître en sombre.*

*Le manteau bleu de saint Thomas réfléchit l'infra-rouge et devient blanc sur la photographie parce que de couleur constituée de lapis et de blanc.*

**10. État avant restauratio**

## Repeint iconographique supprimé

### N° 10
LORENZO MONACO (Atelier de)
Florence 1407
*Triptyque de saint Laurent* (Détail saint Sano)
Bois, (détail), H. 1,42 ; L. 0,42
Inscription datée en bas du panneau central :
MCCC (CVII)
Avignon, Musée du Petit Palais (MI 430)

**0. État après restauration.**

Cet élément appartient à un triptyque dans lequel on s'accorde à voir une œuvre de collaboration entre plusieurs élèves de Lorenzo Monaco qui auraient rendu plus raide et plus sec un schéma du maître bien représentatif de la conception florentine du gothique international.

La partie inférieure du cadre gothique est originale et porte une inscription précieuse pour la date d'exécution, 1407, et pour l'iconographie : le saint de gauche est saint Ansano, appelé encore Sano; la figure élégante de ce saint florentin peu connu avait été mal comprise au XIXe siècle et transformée en une sainte Agnès, précisée par adjonction d'un agneau au moment où l'on refit la partie basse gravement endommagée.

Lors de la restauration de 1976[77], il fut décidé d'enlever ce repeint iconographique en raison non seulement de sa faible qualité esthétique, mais surtout parce qu'il contrariait l'identification originale. La lacune importante de la partie inférieure du tableau a été réintégrée par « tratteggio », en prenant comme référence le type des plis des deux autres figures du triptyque.

L'enlèvement du repeint iconographique a permis de retrouver un état plus fidèle à l'original.

Restaurateur : Sylvaine Brans (1976)

### Repeint iconographique conservé

#### No 11
VIVARINI (Bartolomeo)
Venise vers 1432 - Venise après 1499
*Saint Pétrone et saint Jacques*
Bois, H. 0,70; L. 0,65
Avignon, Musée du Petit Palais (Inv. 20274)

Pendant du No 12 : cf. notice suivante.

Au cours du nettoyage de ce tableau en 1976, il fut découvert que la ville de Bologne portée par la main gantée de l'évêque de gauche était un repeint : sa matière picturale plus opaque que celle du xv<sup>e</sup> siècle couvrait certaines craquelures de l'original. La peinture du xv<sup>e</sup> siècle montre deux réseaux de craquelures d'âge : un réseau principal large et un réseau secondaire fin. Le repeint est très ancien car s'il cache le réseau fin, il ne masque pas le large réseau principal.

Il n'a été possible ni par investigation scientifique (radiographie, photographie infra-rouge), ni par examen et sondage sous microscope de discerner sous ce repeint une forme reconnaissable encore existante sous-jacente : l'enlever eut été périlleux et le résultat imprévisible[78].

D'autre part, ce saint évêque est considéré par la critique d'art comme saint Pétrone en raison de cette ville (repeinte) qu'il porte dans sa main, donc purifier la figure de cet apport très ancien est une décision très lourde de conséquences : il a été décidé en 1976 de garder ce repeint iconographique.

Quand les historiens d'art, informés de ce fait nouveau, auront poursuivi leurs recherches dans des directions nouvelles et apporteront des éléments supplémentaires d'appréciation, il pourra être envisagé de prendre une nouvelle décision vis-à-vis de ce repeint iconographique.

Restaurateur : Geneviève Lepavec (1976)

## Repeint pour cacher un état fragmentaire : surpeint enlevé

### N° 11
VIVARINI (Bartolomeo)
Venise vers 1432 - Venise après 1499
*Saint Pétrone et saint Jacques*
Bois, H. 0,70 ; L. 0,65
Avignon, Musée du Petit Palais (Inv. 20274)

### N° 12
VIVARINI (Antonio)
Venise vers 1415 - Venise entre 1476 et 1484
*Saint Jean-Baptiste et saint Louis de Toulouse*
Bois, H. 0,79 ; L. 0,64
Avignon, Musée du Petit Palais (MI 579)

Il s'agit sans doute de deux volets d'un même polyptyque dont le panneau central pourrait être une Vierge à l'Enfant du Musée Davia-Bargellini de Bologne, datée de 1463 ou 1464. Les figures allongées au type adouci témoignent du style souple d'Antonio Vivarini et les autres plus sculpturales sont attribuées à Bartolomeo, artiste plus sensible au sens plastique de Mantegna.

Ces deux panneaux rectangulaires étaient à l'origine insérés dans un cadre appliqué où les figures se détachaient sur un fond d'or sous des arcatures ogivales. Au xix<sup>e</sup> siècle, ils ont été dépouillés de leur encadrement et sont passés dans le marché d'art : on a voulu probablement à cette époque masquer cet état fragmentaire et on a posé sur tout le fond une nouvelle couche d'or sur une sous-couche noirâtre qui transparaît irrégulièrement et donne au fond d'or l'aspect d'un désagréable badigeonnage.

ECCE · AGNVS · DEI · ECCE

Le panneau de Bartolomeo a été restauré en 1976; lors du nettoyage, sous cette couche de nouvel or noirâtre du XIX<sup>e</sup> siècle, on a retrouvé derrière la figure de saint Jacques un fond d'or original, de forme ogivale, à la feuille sur bol rouge traditionnel et bruni[79]; derrière saint Pétrone, l'or original semble avoir été gratté. Après enlèvement de l'or du XIX<sup>e</sup> siècle qui trahissait la forme originale, des traces de clous de fixation sont apparues et témoignent du décor original en relief qui était appliqué sur le panneau.

Le panneau d'Antonio est montré au début du nettoyage; des sondages sont faits dans l'or noirâtre du XIX<sup>e</sup> siècle[80] qui est un or à la mixtion : des feuilles sont posées sur une mixtion oléo-résineuse noire dont le défaut de séchage a causé les craquelures prématurées[81]. Entre l'or original traditionnel sur bol rouge et le nouvel or, se trouve une couche brune très dure, à l'huile[82], qui devait, après grattage des surfaces ogivales de l'or du XV<sup>e</sup> siècle, régulariser la surface destinée à recevoir au XIX<sup>e</sup> siècle le nouvel or.

Après enlèvement du badigeonnage doré du XIX<sup>e</sup> siècle, il pourra apparaître que le fond clair de préparation nue soit d'une valeur trop différente de la pensée des artistes du XV<sup>e</sup> siècle[83], et il sera peut-être utile d'étudier s'il est possible de rétablir de manière discernable une forme ogivale en prenant référence de celle qui subsiste derrière saint Jacques.

Les deux panneaux rectangulaires se présenteraient avec chacun deux formes ogivales équivalentes à l'or sur un fond de préparation blanche : malgré la réapparition des témoignages du démembrement du polyptyque, les figures de Vivarini présenteraient un aspect plus proche de l'original.

Restaurateur :
Geneviève Lepavec (1976 et 1979)

## Repeint pour cacher un état fragmentaire : complément conservé

### N° 13
MEMLING (Hans)
Memlingen entre 1425 et 1440 - Bruges 1494
*Saint Jean-Baptiste*
Bois, H. 0,47; L. 0,16
(original : H. 0,47; L. 0,10)
*Sainte Madeleine*
Bois, H. 0,47; L. 0.16
(original : H. 0,46; L. 0,10)
Louvre (Inv. 1453)

Ces deux figures debout dans un paysage, avec des petites scènes retraçant des épisodes de la vie des Saints, sont les faces intérieures des volets provenant d'un triptyque dont le centre est *La Fuite en Egypte*, ancienne collection Lucien Bonaparte, puis Baron E. de Rothschild (Louvre RF 1974-30, don avec réserve d'usufruit en 1974); les faces extérieures des volets, *Saint Étienne* et *Saint Christophe*, sont au Cincinnati Art Museum. Le caractère précieux de ces figures pures et graves présentées dans une enveloppe aérienne, semble les placer vers 1479-1480, considéré comme « le meilleur temps du maître » dont le style évolue peu.

Ces deux figures sont les peintures intérieures des volets d'un triptyque démembré : leurs formes étaient à l'origine dissymétriques; au cours de leur histoire, on a coupé

13. Détail montrant à gauche le repeint, à droite la matière originale.

les pointes pour rendre presque circulaire la partie supérieure des panneaux et on a complété les compositions par un repeint sur les bords originellement non peints des panneaux : ces bords, au XVe siècle, étaient encastrés dans la large moulure de l'encadrement original.

Ce repeint est au bleu de Prusse, donc postérieur à au moins 1704, date de la découverte en Allemagne de ce pigment nouveau; il est posé sur une préparation au gypse donc doit avoir été fait en Italie[84]. Il présente des craquelures prématurées, dues au mauvais séchage du liant, ce qui le distingue de l'original où seules les craquelures d'âge parallèles au fil du bois rompent la matière. Mais ce repeint peut être considéré comme d'une admirable qualité visible dans les paysages et le sol fleuri.

L'intervention ancienne, peut-être dès le XVIIIe siècle, pour rendre autonomes des éléments du démembrement d'un triptyque, est à la fois une adjonction (de peinture) et une suppression (de bois) : elle est donc irréversible et devra être acceptée. Lors de l'allégement général du vernis très jauni qui recouvrait tout le tableau et qui masquait la différence entre repeint et original, il a été décidé de garder ces repeints sur le pourtour et de n'enlever que la partie qui débordait sur l'original : le ciel a été gardé; le repeint brun qui élargissait la figure de la

Madeleine et cachait partiellement le sol fleuri a été enlevé pour rendre sa silhouette gracile à l'œuvre de Memling.

Cette décision conservatrice vise à ne pas faire disparaître un témoignage qui peut être important pour l'histoire de l'œuvre. Après la restauration, le tableau est montré, son centre original purifié, son pourtour repeint gardé et laissé clairement discernable de l'original. Ce repeint pourra plus tard être caché par un système d'encadrement si l'on souhaite montrer la restitution du triptyque.

Restaurateur : Sylvaine Brans (1971)

# III
# LES AGRANDISSEMENTS

Un tableau n'a pas toujours été respecté dans son intégrité mais a souvent été sujet à des changements de dimensions et de forme selon ses destinations variables : ces agrandissements sont significatifs de sa fonction et du goût de l'époque.

Ce sujet n'a guère été étudié en profondeur jusqu'à ce jour : il est mentionné par Alessandro Conti[86] sans qu'une politique soit exprimée à ce sujet quant à la conservation ou à la suppression de tels apports du temps. Le problème se pose de manière aiguë à l'occasion d'un nettoyage : exécutée à un moment où le tableau original est déjà sous vernis jauni, la peinture sur les agrandissements est plus sombre que celle de l'original et souvent de même nature que les retouches qui le surchargent abusivement. Une purification complète ferait disparaître cet état historique. Un agrandissement est une adjonction autour de l'original, qui ne masque pas celui-ci ; il peut toujours être caché au public par une ingénieuse présentation tout en étant précieusement conservé pour servir à l'étude historique, la conservation devant être selon Cesare Brandi le « cas général » et la suppression « le cas très particulier »[87].

Quelques critères permettent de classer ces transformations de dimensions pour mieux en définir les raisons, le rôle et l'importance vis-à-vis du format original.

L'agrandissement dit « original » résulte d'un changement de conception de l'artiste en cours d'élaboration de l'œuvre : il a pu choisir un certain format puis désirer s'étendre au delà des limites primitives. La matière picturale sur l'agrandissement se distingue peu de la matière picturale primitive ; un tel agrandissement voulu par l'artiste doit toujours être gardé et montré.

L'agrandissement « de goût » résulte d'une conception de l'espace par rapport à l'original différente à certaines époques. Les compositions du XVIe siècle se développent dans un espace restreint et au début du XVIIe siècle le « caravagisme » est caractérisé entre autres critères par des figures coupées par le cadre ; mais à la fin du XVIIe siècle un goût nouveau classique exige d'aérer les compositions, de compléter les formes, de changer même les formats, telle la *Mise au tombeau* du Titien du Louvre ou *Mercure et Argus* de Velasquez au Prado, toutes deux compositions très agrandies en haut.

Le changement de forme d'un tableau est fonction du goût mais aussi de la destination originale de l'œuvre : les grandes compositions religieuses du XVIIe siècle étaient souvent cintrées dans le haut, telles par exemple la *Vierge et l'Enfant* de Crayer et la *Déposition de Croix* de Bourdon du Louvre, toutes deux actuellement rectangulaires ; les scènes de genre du XVIIIe siècle enserrées dans les boiseries rococo des salons du XVIIIe siècle étaient chantournées tels les *Attributs des Arts* et *Attributs de la Musique* de Chardin rendus rectangulaires à la fin du XVIIIe siècle.

Lorsque de telles œuvres ont été désolidarisées des ensembles auxquels elles appartenaient, elles ont perdu leur encadrement et sont devenues souvent rectangulaires : la raison en est-elle une simple facilité d'encadrement ou bien le goût nouveau des lignes droites du XVIIIe siècle tardif, époque de la préparation par d'Angiviller du Louvre, futur musée ouvert au public ?

Le respect des agrandissements est renforcé par la connaissance précise de leur époque, donc de leur valeur de témoignage historique ; on ne peut étudier véritablement ce problème que dans les grandes collections princières où les mentions d'archives permettent de suivre de telles transformations et d'en repérer la fréquence à des époques déterminées : à Versailles à la fin du XVIIe siècle, d'importantes campagnes d'agrandissements sont ordonnées à partir de 1690 sur des œuvres insignes destinées à orner les appartements du Roi[88]. Il ne peut être question de supprimer ces adjonctions peut-être réalisées par le premier peintre du Roi, témoignage modeste, mais non encore étudié, d'une activité artistique de l'époque.

Lorsqu'un tableau agrandi est montré après restauration, il doit clairement exprimer son histoire sans que soit porté un préjudice à son esthétique : les agrandissements bien documentés doivent être conservés et laissés clairement discernables sans ambiguïté vis-à-vis de l'original ; mais ils peuvent être cachés par un cadre étudié à cet effet pour restituer optiquement à l'œuvre ses dimensions originales.

## Agrandissement dit « original »

### No 14
MIGNARD (Pierre)
Troyes 1612 - Paris 1695
*La Vierge à la grappe*
Toile, H. 1,21 ; L. 0,94
Louvre (Inv. 6634)

L'œuvre du Louvre, au coloris vif et saturé, se place dans la carrière romaine de l'artiste, donc entre 1635 et 1657, époque où il subit les influences conjointes de Raphaël, Luini et Sassoferrato.

Ce tableau a été agrandi sur les quatre côtés : des bandes de toile, très étroites sur

**14**

ments devait être épaisse pour cacher les fils du surjet[90] et aplanir la couture; la surface ainsi obtenue est plus lisse sur les bords qu'au centre. On peut faire l'hypothèse que Mignard a d'abord conçu sa composition sur le format central puis a replié le bord inférieur (trace de faible cassure horizontale en bas) et enfin a agrandi le tableau en cours d'élaboration de l'œuvre : un tel agrandissement considéré comme original est conservé.

La restauration a consisté à alléger un vernis devenu très jaune qui masquait les tons vifs du peintre : blanc, rouge et bleu vif de lapis lazzuli; un degré modéré a été choisi pour ne pas faire apparaître l'usure des ombres sur le visage de l'enfant et sur le fond sombre du tableau, le long de la chevelure de la Vierge où la préparation rouge devient très visible. La réintégration a consisté à repiquer des usures ponctuelles, mais la matière picturale est en général en bon état.

Restaurateur : Maud Chocqueel (1979)

## Agrandissement de goût autour d'une scène caravagesque

### N° 15
SPADA (Lionello)
Bologne 1576 - Parme 1622
*Le concert*
Toile, H. 1,40; L. 1,71
(original H. 1,15; L. 1,50)
Château de Maisons-Laffitte (Inv. 681)

Ce tableau, que l'on peut dater vers 1615, s'affirme comme une des œuvres les plus caravagesques de Spada, d'abord élève des

les côtés (à gauche de 3 cm, à droite de 2,8 cm), plus larges en haut (8,5 cm) et en bas (7 cm), ont été ajoutées avec une couture au surjet qui est la méthode ancienne de joindre deux toiles.

La couleur est identique sur ces agrandissements et le centre, mais les préparations toutes deux rouge-rosé sont semblables sans être identiques[89], ce qui donne des textures différentes, donc un effet différent à distance : la préparation sur les agrandisse-

Carrache, puis appelé « Scimmia del Caravaggio » en raison de son goût pour le style de Caravage dont les tableaux montrent souvent des figures à mi-corps sous un éclairage très contrasté.

Achetée par Louis XIV en 1671 à Jabach, cette scène de type caravagesque aux figures serrées dans la composition et coupées sur les bords latéraux, est déjà mentionnée en 1683 dans l'Inventaire de Le Brun aux dimensions actuelles : elle a été agrandie sur les quatre côtés avant la fin du XVIIe siècle ; une nouvelle esthétique aux tendances classiques a exigé de compléter les figures et d'aérer la composition.

Des bandes de toile ont été ajoutées, recouvertes d'une préparation rose, différente de la préparation blanche subsistante au centre, et d'une couche de couleur semblable à celle du centre mais non identique[91] : les textures sont différentes sur le centre et les agrandissements. Le vêtement du musicien de gauche et la main du musicien de droite ont été complétées ; les instruments de musique ont été eux aussi complétés ; celui de droite a reçu une crosse, celui de gauche a vu le décor de sa caisse prolongé d'un dessin plus opaque et malhabile.

Témoignage des transformations de nombreux tableaux des collections royales, l'agrandissement a été gardé. Il n'est pas désaccordé par rapport à l'original, il peut même être montré ; il serait toujours possible de le cacher par un cadre pour respecter l'esthétique caravagesque, tandis que l'enlever aurait été une opération irréversible.

Restaurateur : Jacques Roullet,
Chef d'atelier (1970)

15

15. **Détail montrant l'original à gauche, l'agrandissement à droite.**

## Agrandissement de goût autour d'un portrait raphaëlesque

### N° 16

FRANCIABIGIO (Francesco di Cristofano, dit)
Florence (?) vers 1482-1483 - Florence 1525
*Portrait d'homme*
Bois, H. 0,76; L. 0,59
(original H. 0,60; L. 0,40)
Louvre (Inv. 517)

Longtemps donné à Raphaël, ce portrait d'homme accoudé à une balustrade se détache devant un paysage limpide animé, dans les lointains, par de petites figures. L'expression nostalgique du visage, qui révèle ici une sensibilité prémaniériste, est traduite par un « sfumato » très prononcé.

Ce portrait, entré dans les collections royales sous Louis XIV, a été gravé en 1729

16. État après restauration.

16. Lumière rasante.

par Edelinck et mentionné aux dimensions de l'actuel original; il est noté en 1752 par Lépicié agrandi aux dimensions actuelles de l'ensemble. L'agrandissement en bois de peuplier, dans le fil sur les bords latéraux, à contre-fil en haut et en bas, ajouté entre 1729 et 1752, peint au bleu de Prusse, a « joué » en fonction du climat[92] et, dès 1788, on décide de mettre un parquet « pour

16. Vue sans l'agrandissement.

16. État après restauration.

maintenir les allonges qui se sont écartées ». En 1789, le restaurateur Martin « a raccordé le ton à l'entour sur les places qui ont été agrandies » : le bleu de l'agrandissement s'étant assombri et désaccordé par rapport à l'original, reçut une nouvelle couche bleu clair que le restaurateur du XVIIIe siècle fit déborder sur l'original. Sous le vernis très jauni, les bords et le centre étaient encore à peu près accordés au XXe siècle, mais les agrandissements faisant passer le tableau de 2 400 cm² à 4 484 cm² étaient dénigrés en 1913 comme dénaturant l'œuvre (« les arbustes de gauche sont mal construits par rapport aux baliveaux primitifs, les mains n'ont que faire d'un appui et le bonnet devrait être près du bord du tableau »)[93]; dès 1924, un cadre est préco-

49

nisé, assez large pour cacher les fâcheuses adjonctions qui correspondent aux 2/5e de la surface primitive[94].

Les commissions consultatives de restauration de 1938, 1949 et 1967 expriment le vœu pieux de remise aux dimensions originales. Cette intervention à but esthétique ne se fit pas. Lorsque les éléments de bois à contre-fil causèrent une fente au panneau central en 1977, la restauration complète du tableau fut envisagée : l'allégement fut préconisé; le problème de la conservation ou de la suppression de l'agrandissement, apporté au XVIIIe siècle à ce portrait raphaëlesque des collections royales, fut de nouveau posé et il fut décidé, selon le vœu de la Commission de restauration de 1978, de conserver dans l'état actuel l'agrandissement du XVIIIe siècle, qui a une valeur historique et esthétique : il est un témoignage du goût d'une époque et de sa manière d'apprécier et d'appréhender les chefs-d'œuvre du passé; ce respect scrupuleux de l'histoire est une tendance contemporaine.

Les éléments de bois à contre-fil ont été désolidarisés de l'original et l'ensemble maintenu dans un système non contraignant; seule la couche picturale originale a été nettoyée : le vernis qui uniformisait repeint et original a été allégé au centre, la partie des repeints du XVIIIe siècle qui débordait sur l'original a été enlevée.

Après allégement à droite et à gauche, les paysages du XVIe siècle ont retrouvé leurs coloris diversifiés et leur facture précise; à gauche, les feuillages en relief de l'original se distinguent nettement des arbres plats et mous du repeint.

Les bords de l'original avaient été arasés autrefois, et après nettoyage, une limite claire de préparation ivoire apparut entre l'original et le repeint : la réintégration de cette ligne jusqu'au bord de l'original a rendu sa clarté de lecture au tableau dont la couche picturale originale a été remise en valeur et reste bien discernable de l'agrandissement. Ce dernier a été gardé par respect du passé et sera caché par un cadre qui rendra optiquement à l'œuvre du XVIe siècle ses dimensions originales.

On remarque que la zone noueuse à droite a été laissée franche sans retouche sur cette rupture non gênante de la couche picturale; un repentir des doigts de la main droite du jeune homme a été atténué.

Restaurateur : Nicole Delsaux (1979)

Étude du Laboratoire de Recherche des Musées de France.

*Le dossier du Laboratoire de Recherche des Musées de France constitué d'après ce tableau souligne bien l'apport des radiations visibles et invisibles dans la connaissance des transformations subies par une œuvre peinte.*

*L'éclairage du tableau en lumière tangentielle met en évidence des inégalités de support, des empâtements de matière picturale sur les quatre côtés et un manque d'homogénéité avec le centre de l'œuvre qui font supposer déjà un agrandissement du tableau, agrandissement difficilement perceptible sur un revers étroitement parqueté.*

*L'examen sous fluorescence d'ultra-violet indique la présence de repeints nombreux dans les bordures, de repiquages plus légers sur le portrait lui-même, ces restaurations intervenant sur une peinture abondamment vernie.*

*La radiographie explique les anomalies observées : le portrait d'homme, peint sur un panneau de bois de 60 cm de haut et 44 cm de large, a été agrandi d'une planche de bois de 8,2 cm de large à gauche et de 7,2 cm à droite sur une hauteur de 76 cm, et d'une planche de 9,3 cm en haut et de 6 cm en bas sur une largeur de 44,2 cm. L'incrustation du panneau d'origine dans cet agrandissement a été consolidé par un mastic. L'ajout est préparé à la partie supérieure avec un enduit plus dense qu'à la partie inférieure, et la différence d'écriture et de matériaux entre la partie centrale et la bordure est évidente.*

*Deux prélèvements de matière picturale, effectués dans le bleu du ciel au centre et en bordure, inclus entre deux couches de résine et observés au microscope, confirment et expliquent ces divergences : la stratigraphie de la matière picturale originale, c'est-à-dire celle du centre du tableau, montre trois couches dans la tradition des œuvres de cette époque ; sur un gesso blanc fait de gypse et de colle, est posée une couche rose constituée de blanc de plomb et de quelques grains de vermillon, sur laquelle repose une couche bleue de carbonate de cuivre mêlé de blanc de plomb. Au contraire, la stratigraphie de la bande d'agrandissement indique six couches : une épaisse préparation blanche de carbonate de calcium et de colle ; une couche gris clair faite de blanc de plomb mêlé de fins grains noirs recouvre cette préparation et sert de base à une couche bleu clair constituée d'un mélange de grains bleu foncé (bleu de Prusse) et de blanc d'épaisseur irrégulière ; une couche verte mêlée de blanc vient en quatrième position, puis une couche bleu clair et enfin une couche grisâtre translucide.*

*La superposition de ce grand nombre de couches peut expliquer la difficulté de l'artisan chargé de l'agrandissement à trouver le ton du ciel original, d'où vraisemblablement deux interventions.*

## Agrandissement de goût autour d'une composition dense du XVIe siècle

### No 17

LOTTO (Lorenzo)
Venise 1480 - Lorette 1556
*La femme adultère*
Toile, H. 1,24 ; L. 1,56
(original H. 0,99 ; L. 1,27)
Louvre (Inv. 353)

Lotto, artiste original et indépendant, se place dans la double filiation, vénitienne de Bellini et Titien, et nordique de Dürer. *La Femme adultère*, datée vers 1531-1532, associe dans un style très personnel des formes nerveuses, des effets lumineux recherchés et un chromatisme éclatant et précieux.

Dans cette œuvre, entrée dans les collections royales dès l'époque de Louis XIV, la composition dense du XVIe siècle aux figures coupées sur les bords a été considérée comme très chargée : elle fut aérée et complétée sur les quatre côtés grâce à un agrandissement exécuté entre 1683 (Inventaire Le Brun) et 1709 (Inventaire Bailly).

Dès 1825, une décision fut prise de remettre le tableau aux dimensions originales déterminées par l'examen matériel de l'œuvre et confirmées par une gravure faite dès le XVIe siècle par Marc Duval ; l'intervention ne fut pas réalisée. Une commission de restauration de 1938 exprimait le même vœu, mais pas plus au XXe siècle qu'au XIXe, l'intervention ne fut réalisée : la suppression d'agrandissements aussi anciens, témoignage important du goût d'une époque, devait déjà être ressentie comme une opération irréversible, lourde de conséquences.

17

Le problème de la conservation ou de la suppression de l'agrandissement s'est de nouveau posé lorsque l'allégement a été décidé en 1978. En effet, l'agrandissement a été peint après le XVIe siècle dans des couleurs accordées au tableau qui était déjà sous vernis jauni : tout nettoyage ferait donc soit apparaître un désaccord entre l'original nettoyé et l'agrandissement si celui-ci était respecté, soit disparaître l'agrandissement si toutes les retouches postérieures au XVIe siècle, y compris celles qui constituent le repeint d'agrandissement, étaient enlevées.

Des essais d'allégement sur l'original et l'agrandissement montrèrent que l'ensemble du tableau pouvait être allégé sans dégra-dation de la peinture de l'agrandissement. Il a été décidé d'alléger le vernis jauni, de purifier l'original des repeints qui le sur-chargeaient et de garder l'agrandissement en témoignage de l'histoire du goût; désac-cordée par rapport à l'original, cette adjonc-tion sera cachée par un cadre pour remettre en valeur l'esthétique du XVIe siècle.

Le vernis jaune-roux qui dénaturait les couleurs vives et claires de Lotto a été allégé : les drapés bleus et rouges du Christ sont retrouvés ainsi que sa guimpe blanche et bleue à carreaux; les roses raffinés d'une coiffure à droite et l'éclairage subtil des visages du groupe qui entoure le Christ ont réapparu; la femme adultère se détache au premier plan, dans un éclairage accentué voulu par l'artiste qui décentre la composition; le vert acide de son vêtement s'inscrit dans la palette habituelle de Lotto bien que cette zone ait perdu autrefois, lors d'anciens nettoyages, des glacis vert-sombre[95]. Le brocart jaune du personnage richement vêtu à droite a aussi perdu des glacis originaux jaunes et roux.

Après allégement du vernis, la facture précise de Lotto est mise en valeur; la couche picturale présentait de très petites mais nombreuses lacunes qui ont été réintégrées de manière « illusionniste », en choisissant un degré peu élevé de réintégration, c'est-à-dire en laissant perceptibles de nombreuses usures, habituelles sur un tableau vieux de plus de quatre siècles. L'agrandissement présentait lui aussi quelques usures qui ont été réintégrées pour que sa propre lisibilité soit meilleure; il avait permis à l'artiste-restaurateur de prolonger les lances dans la partie supérieure de la composition, de compléter à gauche et à droite un visage ou la main de figures coupées et de prolonger en bas les drapés des vêtements des divers personnages; il a une valeur esthétique et exécuté entre 1683 et 1709, bien documenté, il a une valeur historique. Cet apport à l'œuvre originale a été gardé et même restauré pour que soit conservé un témoignage matériel du goût de la fin du règne de Louis XIV. La mince ligne de mastics verts et blancs, de deux campagnes successives de restauration, matérialise la limite entre l'original et l'agrandissement : elle disparaîtra sous le cadre.

Restaurateur : Sarah Walden (1979)

Étude du Laboratoire de Recherche des Musées de France.

*Un manque d'homogénéité de la matière picturale était visible à l'œil nu entre le centre et les bordures du tableau.*

*La radiographie, partiellement présentée sur ce panneau, est le document qui précise le mieux les raisons de cette apparence.*

*En effet, les films radiographiques mettent en évidence le support original qui est une toile fine, irrégulière, accidentée par endroits. Pour des raisons de style, d'esthétique, ou de place (?), ce support a été agrandi de 12 à 14 cm sur trois côtés et de 18 cm à droite, à l'aide d'une toile plus grosse et vraisemblablement au cours d'un rentoilage; mais il convient de remarquer que des traces de couture sont visibles à gauche et que la bande latérale ajoutée en cet endroit est plus fine de texture que celle des autres ajouts.*

*Un cadre noir cerne la composition centrale et témoigne d'importantes lacunes de peinture; il souligne également une rupture entre la densité de la partie centrale et celle des bandes rapportées, rupture due à une différence de technique et de matériaux utilisés. L'examen de la matière picturale effectué en deux points précis (l'un sur le pouce de la main du personnage extrême à dextre, l'autre sur son auriculaire) met en évidence deux stratigraphies différentes : dans la partie centrale, la préparation est un gesso blanc recouvert d'une couche d'impression grise; en revanche, dans la bande ajoutée, on observe un enduit rose contenant du blanc de plomb et d'ocre rouge non recouvert d'une couche d'impression. La matière picturale de la chair est constituée d'une seule couche brun clair dans la bande d'agrandissement, tandis que dans la partie centrale elle est représentée par une couche de laque rouge surmontant une matière rose, ces deux couches formant une belle qualité d'exécution.*

*Il apparaît donc que ces bandes d'agrandissement sont bien étrangères à la composition originale.*

53

18

## Changement de Format

### N° 18
VÉRONÈSE (Paolo Cagliari, dit)
Vérone 1528 - Venise 1588
*La Vierge et l'Enfant entre sainte Justine,*
*saint Georges et un bénédictin*
Toile, H. 0,99 ; L. 0,99
(original H. 0,73 ; L. 0,91)
Louvre (Inv. 139)

Cette composition, datée vers 1562, de la Vierge
en trône devant un rideau de brocart qui se détache sur le ciel, avec deux saints et un donateur
agenouillé, se place directement dans la tradition

vénitienne par son coloris chaleureux et son
éclairage qui intègre avec aisance les figures
dans une lumière de fin d'après-midi.

La Vierge au donateur est souvent conçue
à Venise dans un format en largeur, comme
ici par Véronèse dans la partie originale de
ce tableau. Cette œuvre entre dans les
collections royales en 1669 et elle est déjà
mentionnée carrée en 1683 dans l'Inventaire Le Brun.

On a changé le format original du tableau,
on a donné beaucoup d'air à la composition
dans la partie haute en ajoutant, sur une
large bande de toile cousue au surjet, du
brocart, du ciel, et un prolongement aux
colonnes latérales ; un peu de terrain ajouté
en bas fait « flotter » la composition ; à
gauche, la figure de saint Georges a été
complétée (son drapé et le « pallo » bicolore
du gondolier vénitien) ; à droite, un peu
d'air a été ajouté entre le bord du tableau
et le groupe du donateur et de sainte
Justine.

Cet agrandissement est si peu discernable
de l'original que cette œuvre de Véronèse est
souvent ressentie comme carrée, selon un
format rarement utilisé. L'apport à l'œuvre
originale est réalisé au XVIIe siècle dans une
matière très proche de celle-ci ; sur le brocart original jaune, le décor noir est fait
d'une matière épaisse, siccative, qu'une
brosse presque sèche dépose en glissant
rapidement sur la peinture jaune ; le brocart
de l'agrandissement montre un décor
sombre exécuté avec plus d'application à
l'aide d'un pinceau chargé d'un matériau
brun noir beaucoup plus mince et fluide.

Cet agrandissement très ancien, documenté, doit être gardé; à peine discernable de l'original tant que celui-ci reste sous un vernis assez jaune, il peut même être montré. Un problème de présentation sera posé lorsque son allégement sera souhaité; il est à craindre qu'à ce moment-là l'agrandissement ne soit plus accordé esthétiquement aux couleurs de l'original; on devra imaginer une présentation particulière du tableau pour garder son intégrité physique et peut-être le montrer dans ses dimensions apparentes originales. Ce tableau a appartenu au décor du Cabinet des Médailles de Versailles : peut-être un jour l'examen de cette transformation de l'œuvre sera-t-il précieux pour des recherches historiques sur le décor? Cette composition a pu être l'objet d'étude pour des artistes postérieurs, copiée sous son format carré. A-t-on le droit, au nom du purisme et de la volonté de retour à l'original, de remonter le temps et de faire table rase de l'histoire?

**18. Vue sans l'agrandissement.**

Étude du Laboratoire de Recherche
des Musées de France.

*La photographie effectuée en lumière tangentielle souligne les modifications de format apportées à ce tableau : une ligne intérieure due à l'inégalité d'épaisseur de la couche picturale délimite la forme exacte de l'œuvre à son origine. La composition a été agrandie dans de faibles proportions sur les côtés, d'une bande plus importante en bas de 7 cm et d'environ 19 cm à sa partie supérieure. La radiographie confirme cette transformation en mettant en évidence la présence de quatre coutures sur les côtés correspondant aux lignes constatées sur le document précédent. Elle indique également une différence de densité entre la composition centrale et les bandes ajoutées, notamment au niveau du raccord de la colonne de droite. Toutefois, cette différence est peu contrastée et la photographie prise en infra-rouge témoigne du soin et de la qualité d'exécution avec lesquels ont été peintes les bandes d'agrandissement et reconstitué le décor du brocart et des colonnes. La subtilité de cette intervention, du passage entre les deux techniques, fait preuve d'une grande habileté et autorise à penser que ce travail s'effectua relativement tôt après la création de Véronèse; les deux écritures sont très proches ainsi que les matériaux comme le prouve le peu de différence de réflection ou d'absorption des divers pigments sous les radiations.*

55

**19**

style de Garofalo, peintre très fécond de Ferrare, auteur de tableaux d'autel et de nombreux petits tableaux de dévotion. Il allie, avant même Dosso Dossi, l'inspiration poétique et les coloris vénitiens au dessin rigoureux des élèves de Raphaël.

La provenance de ce petit tableau, autrefois attribué à Raphaël, est prestigieuse : de la collection de Charles Ier d'Angleterre il passe en 1649 dans celle du financier de Louis XIV, Jabach, qui le vend au roi de France en 1671. Décrit cintré avant 1649 (il semble bien que cette forme soit celle du tableau original du XVIe siècle), il est présenté à Versailles encore cintré en 1683 (Inventaire Le Brun), mais rendu « quarré » en 1709 (Inventaire Bailly) dans la partie haute. En ajoutant des écoinçons (le support de peuplier a été enchâssé dans un mince entourage de chêne, dans le fil sur les bords latéraux, à contre-fil en haut et en bas avec des assemblages en onglet dans les deux écoinçons)[96], on les a peints en bleu clair pour les accorder au ciel bleu qui portait quelques nuages, peu développés, gris dans leur partie basse.

Plus tard, à l'époque de Villot, vers 1849, le tableau a été exposé dans un format rectangulaire ; peut-être à cette époque ce format était-il un peu différent de celui de 1709 et le cadre cachait-il quelques centimètres dans la partie haute ; ensuite, un peintre-restaurateur a repeint la partie visible des écoinçons en gris[97] ; il les a accordés à un ciel probablement déjà assombri par des vernis sales et aux nuages gris qui semblaient emplir tout le ciel.

Lors du nettoyage de l'œuvre, l'original

## Changement de Forme

### No 19
GAROFALO (Benvenuto Tisi, dit)
Garofalo, près de Ferrare, vers 1481 - Ferrare 1559
*La Sainte Famille*
Bois, H. 0,40 ; L. 0,31
(original H. 0,38 ; L. 0,29)
Louvre (Inv. 694)

Ce tableau religieux de petit format, lumineux et de facture précieuse, est caractéristique du cintré a été purifié et l'agrandissement a été conservé avec les traces d'interventions successives, témoignage de l'histoire compliquée du tableau; cet agrandissement désaccordé par rapport à l'original devra être caché par un cadre qui rendra son for-

mat à la peinture de Garofalo : la présentation sera optiquement fidèle à l'œuvre du XVIe siècle, mais la suppression irréversible des adjonctions qui ont changé la forme du tableau aura été évitée.

Restaurateur : Marie-France Racine (1979)

# IV
# LA RÉINTÉGRATION

La réintégration, qui signifie remise à sa vraie place, doit réinsérer l'œuvre à sa vraie place esthétique en rétablissant sa lecture, quand elle est trop dégradée et ne présente plus qu'un visage chaotique. Elle doit aussi réinsérer l'œuvre à sa vraie place historique, en laissant perceptibles les traces du passage normal du temps écoulé entre la création de l'œuvre et nos jours.

La difficulté est de ne faire ni un « faux esthétique » ni un « faux historique »[98]. Il faut analyser le style d'un artiste pour en restituer les caractéristiques; il ne faut pas trop rajeunir l'œuvre dont la vraie place est dans le passé et pourtant suffisamment la réintégrer pour la rendre lisible de nouveau alors qu'elle ne l'était plus : son état de dégradation ne doit pas être sensible à première vue mais perceptible quand on se préoccupe d'authenticité de la matière. Les accidents d'une couche picturale qui rompent une forme exigent une « retouche » pour permettre la réintégration de l'œuvre;

ces accidents peuvent être nombreux depuis la perte de matière picturale profonde appelée lacune jusqu'à la simple usure superficielle et ponctuelle appelée « épidermage »[99]. Le but de la retouche est de « réduire l'émergence de la lacune »[100] constituée par son niveau et sa couleur différents de l'original : une lacune profonde est mise au niveau de la couche picturale par un mastic qui reçoit ensuite un apport de couleur pour obtenir une égalisation chromatique avec l'original avoisinant; une usure superficielle est réintégrée par un simple apport de couleur sans mastic. On peut laisser visibles quelques usures lorsqu'elles ne perturbent pas la lecture, ce qui permet de laisser sensible le passage du temps et de faire un minimum de retouche c'est-à-dire de choisir ce que l'on appelle « un degré de réintégration faible »[101]. Les qualités essentielles d'une retouche sont d'être limitée au strict contour de la lacune, stable dans le temps et réversible, c'est-à-dire plus fragile que l'original pour permettre d'être enlevée à tout moment sans endommager celui-ci.

La retouche est appelée au XVIIIe siècle la restauration « pittoresque »[102], c'est-à-dire activité de peintre et exécutée d'abord par les grands peintres de l'époque, Primatice a restauré les Raphaël de François Ier, puis Coypel les collections de Louis XIV[103]. Enfin les nettoyeurs-retoucheurs du XVIIIe siècle sont des techniciens spécialisés dans l'activité de restauration : ils utilisent d'abord comme leurs prédécesseurs des couleurs à l'huile qui ont comme inconvénient de foncer avec le temps; leurs mastics sont souvent très durs, à la céruse. En Italie, pour pallier ce noircissement de l'huile, le vernis est utilisé comme liant de la retouche à Venise, à la fin du XVIIIe siècle, chez Pietro Edwards et la cire à Rome par Margherita Bernini[104]. Au cours du XIXe siècle, déjà les mastics ne se font plus à la céruse et la retouche au vernis est très répandue.

Vers 1940, la retouche à l'aquarelle appréciée pour sa stabilité et sa réversibilité est mise au point à l'Institut Central de Restauration de Rome. Aujourd'hui, deux méthodes principales co-existent : la retouche au vernis et à l'aquarelle.

Les procédés de retouche sont divers selon le type d'œuvre à restaurer et selon la localisation de ses lacunes[105]; il existe deux catégories principales : la retouche de type « illusionniste » et la retouche visible.

La retouche est dite « illusionniste » lorsqu'elle n'est pas discernable de l'original à l'œil nu. Quand les lacunes sont de petites dimensions et ne laissent pas de place à l'invention, ou que l'œuvre est assez récente, la retouche peut être parfaitement imitatrice de l'original, dite « illusionniste » selon le vieux mot du XVIIIe siècle, époque où quelle que soit la lacune, la retouche imitative était le seul procédé en vigueur. Elle consiste à exactement reproduire l'original[106], à le refaire, donc à superposer des glacis sur un ton local.

La retouche visible à l'œil nu convient pour des œuvres très anciennes ou très dégradées présentant de grandes lacunes où une part d'interprétation est possible; les divers procédés peuvent être le « tratteggio », le glacis visible et le pointillisme.

« Le tratteggio »[107], réseau de traits verticaux parallèles de couleurs pures juxtaposées sur un mastic blanc parfaitement plan, est une méthode mise au point vers 1940 à l'Institut Central de Restauration de Rome par Cesare Brandi et Paolo Mora; cette technique est née de la nécessité de reconstituer des compositions de Mantegna de la Capella Ovetari de Mantoue détruite par un bombardement de la Seconde Guerre mondiale; ce procédé s'inspirant de la fresque dont les touches sont juxtaposées, permettait de restituer honnêtement, et plastiquement de manière satisfaisante, la composition devenue très lacunaire : l'équivalence colorée était obtenue de loin, les exactes limites de l'original étaient évidentes de près. Le « tratteggio » est une méthode simple où le degré de réintégration est fonction de l'espacement des traits, et de leur couleur qui peut varier tout au long de leur parcours et reconstituer par ses modulations des zones complexes comme en témoigne le brocart de la Vierge de la *Maesta* de Duccio de Sienne[108]. Basée sur la juxtaposition, cette méthode convient aux peintures « a tempera » où les modelés sont obtenus par juxtaposition des touches; le fond blanc donne leur intensité maximale aux couleurs dont la synthèse se fait directement dans l'œil : le tratteggio convient aux lacunes profondes qui exigent un mastic.

Le glacis visible est une couche transparente colorée, plus ou moins dense, qui permet de laisser perceptible la préparation. Cette méthode convient dans le cas de lacunes superficielles n'exigeant pas de mastic. Elle a été mise au point au Louvre vers 1970 lors de la restauration de la Collection Campana de primitifs italiens destinés au Musée du Petit Palais d'Avignon.

Le pointillisme est la juxtaposition de points plus ou moins rapprochés de couleurs pures. Il peut s'entendre soit comme une simple juxtaposition de points à la manière du XVIIIe toujours en vigueur au XIXe siècle, où « pointiller » était la méthode des restaurateurs dont le métier se rapprochait beaucoup des miniaturistes[109], soit à la manière plus stricte et moderne, à la suite du néo-impressionnisme, de l'édition en couleur, ou de la télévision[110], où les points juxtaposés selon le principe de la synthèse trichrome sont de trois couleurs, soit bleu jaune et rouge, soit bleu vert et rouge, couleurs primaires respectivement des physiciens et des spécialistes de la vision.

Le principe de la retouche visible est né du conflit entre les puristes qui voulaient voir débarrasser les œuvres anciennes des apports qui les dénaturaient et les amateurs pour lesquels l'image compte davantage que la matière dont elle est faite. La peinture ne doit pas être transformée au nom du purisme en quelques îlots de matière originale flottant sur des planches de bois. Elle doit retrouver ce que Cesare Brandi appelle son « unité potentielle »[111] : à première vue le tableau doit apparaître complet, en réalité son état de dégradation est laissé perceptible mais passe au second plan; la réintégration doit mettre l'œuvre d'art dans un état tel que le visiteur peut, par processus mental, recomposer ce qui manque à partir de ce qu'il voit, en réalité en fonction de ce qu'il sait, selon un mécanisme spontané de perception[112].

Pour satisfaire à la double exigence esthétique et historique, les systèmes nouveaux de retouche « tratteggio », glacis visible et pointillisme ont été mis au point comme un véritable code de lecture.

Le mot réintégration est moderne : employé vers 1945 dans les Instituts de Rome et de Bruxelles, il est aujourd'hui préféré au mot retouche et il traduit à la fois la complexité croissante de l'intervention picturale en restauration qui ne consiste plus seulement à « boucher un trou » et la reconnaissance de la restauration comme une discipline propre avec ses principes, son histoire, sa philosophie, car la réintégration, traitement esthétique des accidents, a un sens plus vaste que retouche : il peut aussi bien s'agir de cirer le bois laissé visible sur un primitif, que d'atténuer les bords clairs d'une lacune profonde, que de teinter le fond d'une griffure et ne pas la mastiquer ni la mettre en couleurs. Réintégrer un

tableau veut dire rendre la peinture lisible et ses accidents compréhensibles en raison de sa fonction et de son âge[113]. La réintégration est le résultat d'une analyse critique de l'œuvre, de son histoire et de sa signification.

### « Tratteggio »

#### N° 20

VANNI (Turino)
Pise ou Rigoli 1348 - documenté encore en 1416.
*La Vierge et l'Enfant entre saint Michel,*
*sainte Catherine, saint André*
*et saint Nicolas de Bari*
Bois, Centre H. 0,68; L. 0,59;
panneaux de gauche : H. 0,54; L. 0,33;
panneaux de droite : H. 0,57; L. 0,33
Avignon, Musée du Petit Palais (DS 1674,
DS 1669, DS 1672, DS 1671)

Il s'agit d'une œuvre tardive et de production courante d'un artiste pisan provincial et archaïsant dont le style un peu raide évolue peu.

Les 4 saints de ce polyptyque sont montrés après restauration, la Vierge en cours de réintégration.

Ces panneaux avaient autrefois fait l'objet de repeints nombreux, certains récents, très grossiers, superficiels et localisés surchargeant les fonds d'or de peinture jaune à l'huile, d'autres plus anciens, plus profonds et assombris, reconstituant des zones manquantes : il fallait purifier la couche picturale de ces apports qui trahissaient l'œuvre du XIVe siècle. Après nettoyage du tableau, les lacunes ont été mastiquées : les plus petites n'exigeant aucune invention pour rétablir la lecture des formes, la réintégration a pu être du type « illusionniste »; d'autres importantes ont exigé une reconstitution à exécuter par une méthode discernable de l'original : dans la partie inférieure des auréoles des saints, le long d'une fente sur sainte Catherine, sur les bordures dorées du vêtement de saint Nicolas et surtout sur une très grande surface du manteau de la Vierge; cette dernière lacune devait être réintégrée en tenant compte de l'appartenance de la Vierge à un ensemble de cinq panneaux malgré sa grande étendue, à la limite du pourcentage réintégrable, si l'on avait considéré le seul panneau central. La méthode utilisée a été celle du « tratteggio » dont la juxtaposition

0. État en cours de réintégration.

6. État avant restauration.

des traits de restauration s'inspire des touches juxtaposées originales très visibles chez les Primitifs italiens ici particulièrement sensibles sur les visages : le liant à l'œuf de la peinture « a tempera » sèche vite et exige cette technique de construction des volumes. Cette méthode de retouche, en couleurs pures, sur un fond clair, parfaitement plan, convient pour les lacunes profondes où le masticage est indispensable. Les couleurs juxtaposées peuvent être très serrées et modulées tout au long du parcours du trait (bordure dorée du manteau de la Vierge, épaule de sainte Catherine sur fond d'or) pour donner une bonne équivalence chromatique de l'original : on dit alors que le « degré de réintégration » est élevé. Dans les brocarts rouge et or exécutés en

**20. Détail montrant la juxtaposition des touches dans la technique « a tempera ».**

**20. Détail tratteggio vu de très près.**

« sgraffitto »[114], les lacunes ont été traitées avec un « tratteggio » enrichi d'or pour obtenir une meilleure équivalence de la réflexion de la lumière sous diverses incidences[115].

Les bords de tous les tableaux présentaient des mastics anciens solides qu'il a été jugé bon de garder et de traiter en « tratteggio » ivoire en prenant référence sur le bord droit de sainte Catherine où la préparation originale ivoire se poursuit jusqu'au bord du tableau.

Le « tratteggio » permet de retrouver une continuité des formes et un équilibre des couleurs; les surfaces respectives, d'original parfaitement authentique, et de retouche partiellement inventive, sont repérables sans ambiguïté.

Restaurateur : Regina da Costa
Pinto Dias Moreira (1979).

## Glacis visible

### N° 21

ÉCOLE DE FLORENCE
Début du xvᵉ siècle
*Vierge d'humilité*
Bois, H. 1,05; L. 0,64
Avignon, Musée du Petit Palais (RF 974)

Le thème de la Madone dite « d'humilité »,
assise sur le sol, issu du modèle de Simone
Martini peint vers 1340 à Notre Dame des Dons
d'Avignon, connut une grande vogue au début
du xvᵉ siècle. Les plis fluides et nombreux aux
ombres courtes et la facture précieuse évoquent
le style gothique international dans sa version
florentine, et plus particulièrement l'entourage
de Starnina maintenant identifié avec le Maître
du Bambino Vispo.

La peinture était recouverte d'une couche
si épaisse et sombre de crasse que le tableau
était illisible lorsqu'il est arrivé pour entrer
en restauration en 1974. Le nettoyage a été
difficile, mais il fait retrouver des couleurs
précieuses et différenciées : le rouge et le
blanc du coussin sur lequel est assise la
Vierge d'humilité, et surtout le bleu vif de
son manteau[116]. Les plis de ce manteau
étaient rendus très difficiles à lire, car tout
le revers de ce vêtement bleu n'était qu'un
repeint uniforme noirâtre qui recouvrait des
îlots épars de matière originale subsistant
sur la préparation ivoire : il est apparu que
toute cette zone avait été à l'origine conçue
comme un tissu brun-rouge à pois noirs dont
l'équivalent en peinture avait été obtenu
par une laque brun-rouge sur une feuille
d'argent; celle-ci, avec le temps, a noirci
par formation de sulfure d'argent au détri-
ment de l'argent métallique; le sulfure
d'argent a diffusé dans la couche supérieure
et l'a tant assombri[117] qu'elle a été considérée, à tort autrefois, lors de nettoyages
anciens, comme une couche de crasse à
enlever au lieu d'être acceptée comme une
transformation irréversible de la peinture.
La référence de ce tissu du revers semble

21

**21. Détail avant réintégration.**

être la très petite zone triangulaire sous la main droite de la Vierge où la feuille d'argent ayant été oubliée, ou jugée non indispensable étant donnée la petite surface à peindre, la couche de laque brun-rouge à pois noirs est conservée. Après nettoyage, ces zones autrefois brun-rouge sur argent, sont apparues couleur de préparation ivoire.

Il est devenu nécessaire de proposer une méthode de réintégration qui permette de retrouver un équilibre chromatique de l'ensemble : ces zones claires qui se confondent avec l'or de la robe de la Vierge et du bord de son manteau doivent retrouver une valeur sombre équivalente au revers d'origine vieilli mais non usé, sans cependant que soit complètement caché leur caractère lacunaire. Un glacis brun sombre, translucide, laisse clairement discernable les îlots épars de matière brun-rouge originale, rend son

**21. Détail après réintégration.**

unité à la forme du revers du manteau et confère à cette œuvre précieuse de l'aire du gothique international une meilleure lisibilité de ses plis et brocarts.

Les très petites lacunes dues à des trous de vers et les usures superficielles ont été réintégrées de manière illusionniste. Les grandes lacunes, sur le fond d'or et le cadre doré original, ont été réintégrées par « tratteggio ». La grande lacune, dans la partie inférieure de la composition, est laissée visible; le bois est à nu, les lambeaux de préparation blanche subsistante dans la zone du coussin sur le terrain vert ont été traités en sombre; la reconstitution du coussin rouge et blanc a semblé trop hypothétique pour être envisagée et cette large lacune laissée visible en périphérie de la composition n'attire pas l'attention.

Restaurateur : Jeanne Amoore (1980).

**22**

## Pointillisme

### N° 22
Imitateur de LIPPI et de PESELLINO
Milieu du xvᵉ siècle
*La Vierge et l'Enfant*
Bois, H. 0,60; L. 0,44
Montpellier, Musée des Beaux-Arts (RF 2222)

Cette Vierge à l'Enfant, aux carnations pâles, se détache sur un buisson de roses dont le feuillage est en relief accentué. Son style linéaire un peu sec est caractéristique de la production abondante d'un atelier florentin du milieu du xvᵉ

siècle autrefois appelé « Pseudo Pier Francesco Fiorentino », et, aujourd'hui, selon Zeri, depuis 1976, « atelier des imitateurs de Lippi et Pesellino ».

Le tableau, avant nettoyage, était recouvert d'une importante crasse générale, et d'un large repeint verdâtre sur tout le manteau de la Vierge. Il était encadré dans une moulure de faux or. La moulure appliquée sur le tableau et qui en fait partie est originale; on retrouve sa dorure du xvᵉ siècle à la feuille, sur un bol rouge, sous un enduit blanc du xixᵉ siècle, destiné à recevoir un faux or fait d'une feuille de métal blanc recouvert d'un vernis coloré en jaune.

Un décrassage approfondi a été mené sur le buisson de roses sur fond de ciel et sur les carnations : ces dernières ont subi autrefois des nettoyages drastiques qui ont usé la matière picturale au bord des craquelures et ont élargi celles-ci; les verts du feuillage dans le buisson de roses ont un peu roussi avec le temps, altération irréversible[118] qu'il faut accepter. L'enlèvement des repeints sur le manteau de la Vierge s'est fait sous le microscope pour dissocier sans danger la matière bleu-vert sombre de repeints et l'original en azurite qui subsiste très lacunaire sous forme d'îlots épars bleus, presque noirs, sur une préparation ivoire affectée d'un fort réseau de craquelures. La matière des zones d'azurite est épaisse, en relief, et noircie dans sa masse par vieillissement naturel (assombrissement du liant intersticiel qui enrobe les pigments bleus)[119]; elle a dû faire l'objet de nettoyages violents qui ont tenté d'éclaircir une couleur, en réalité irréversiblement assombrie : ces zones sont devenues lacunaires.

La retouche doit permettre de retrouver l'unité chromatique, donc une couleur bleu-sombre, et de mettre en valeur le réseau de craquelures, facteur d'unité du tableau : deux types étaient possibles, le glacis et le pointillisme.

Dans le cas du pointillisme, des points de couleurs pures sont juxtaposés sur la préparation en respectant le réseau de craquelures qui est ainsi mis en valeur; les couleurs sont choisies ici pour que leur synthèse à distance donne un bleu-vert sombre; la densité variable des points permet une certaine liberté dans le degré de réintégration selon qu'il subsiste ou non des îlots d'azurite originale à raccorder.

Le pointillisme a été préféré au glacis car dans le cas d'un degré de réintégration élevé, ici nécessaire, qui exige une forte densité des points, cette méthode permet de mieux discerner l'original de la restauration. Si l'on avait adopté le glacis, ce dernier, posé sur la préparation de craquelure à craquelure, aurait permis de mettre en évidence le réseau caractéristique du tableau, mais pour laisser discernables les îlots de matière originale, il aurait dû être si mince et transparent que le manteau bleu sombre d'azurite n'aurait pas retrouvé son unité ni son poids vis-à-vis de l'ensemble.

La réintégration a consisté de plus à atténuer les usures gênantes des carnations le long des profondes craquelures d'âge sans que jamais la retouche ne les traverse pour que la matière picturale conserve son acuité.

Restaurateur : Nicole Delsaux (1979).

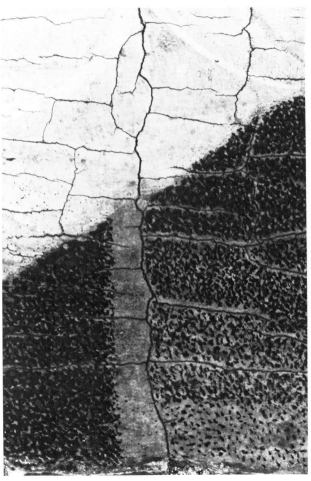

**22. Détail montrant l'exécution progressive du pointillisme.**

23

## Un exemple ancien d'« Illusionnisme »

### N° 23

VAN CLEVE (Joos van, d'après)
Anvers vers 1484 - Anvers 1540-1541
*Portrait de François 1er*
Toile, H. 0,83; L. 0,58
Château de Fontainebleau (Inv. 3257)

Il s'agit d'une copie ancienne d'un portrait de François 1er, dont l'original, aujourd'hui au Musée de Philadelphie (Johnson Collection) est de Joos Van Cleve, qui fut appelé à la Cour de France en 1530 pour faire le portrait du Roi.

Ce tableau a été transposé par Hacquin pour le peintre-collectionneur Revoil en 1828, depuis son support original de noyer, sur toile. On remarque une reconstitution importante de zones manquantes qui correspondent à deux des planches de l'ancien support; dans la plume du chapeau en haut à gauche, dans la main en bas à droite la matière picturale a été perdue soit avant la transposition et l'aurait justifiée, soit pendant l'opération et serait le résultat d'un accident de transposition comme le feraient penser les bords très nets des lacunes.

Un peintre-restaurateur a exécuté une retouche parfaitement imitative de l'original, ce qui constitue une référence historique et l'illustration la plus satisfaisante de la retouche de type « illusionniste ». Cet artiste de métier néo-classique, avait minutieusement observé la peinture du XVIe siècle au point de pouvoir rétablir dans la plume un travail au pouce imitatif de l'original[120] et de restituer parfaitement les broderies noir et or; il trahit son époque dans la main gauche du roi dont l'esthétique est clairement néo-classique et dont les ombres aux craquelures prématurées témoignent probablement d'un large emploi de bitume : ces caractères distinguent nettement cette main un peu froide, de la main droite du roi, originale, munie d'empreintes du XVIe siècle et montrant le dessin sous-jacent. A une distance normale de vision, la matière de la restauration ne se distingue pas de l'original; la qualité très grande de cette retouche « illusionniste » bien documentée en fait une référence à conserver.

Restaurateur :
peintre néo-classique en 1828[121]

3. Détail : main du XVIᵉ siècle.

23. Détail : main du XIXᵉ siècle.

**24. État avant réintégration.**

24

### Retouche « illusionniste »

### Nº 24
ROMANELLI (Giovanni Francesco)
Viterbe 1517 - Viterbe 1562
*La récolte de la manne dans le désert*
Toile, H. 1,98; L. 2,12
Louvre (Inv. 576)

Élève du décorateur romain du XVIIᵉ siècle
Pierre de Cortone, Romanelli développe à
Rome un style ample où les attitudes simples,
les couleurs claires, l'éclairage également réparti
montrent une sensibilité classique dont témoignent en France les fresques dont il décora les
voûtes de la Galerie Mazarine (Bibliothèque
Nationale), puis en 1657, celles de l'appartement
d'été d'Anne d'Autriche au Louvre.

Ce tableau était couvert d'un vernis très
jauni qu'il a été nécessaire d'alléger; certaines zones ont présenté un blanchiment
qu'il a fallu régénérer et revernir pour pallier
une probable microfissuration du liant[122]
(vert sombre et translucide du personnage
agenouillé, sol verdâtre du bas, brun de
l'urne à droite et du vêtement du personnage debout à gauche). Après nettoyage, la
composition présentait une longue lacune
discontinue horizontale due à l'écaillage de
la matière picturale sur une couture originale du support de toile et de nombreuses
petites lacunes localisées dans des zones
bien définies, translucides, probablement
riches en liant (urne et drapé vert)[123]. Ces
lacunes de très petites dimensions ne laissant aucune place à l'invention ont été
réintégrées par une retouche de type
« illusionniste »; celle-ci est exécutée par
superposition, selon la technique originale.
Sur les mastics blancs, une couleur rouge est
posée en équivalence à la préparation originale rouge de ce tableau, habituelle à cette
époque. Dans les zones sombres et transpa-
rentes, comme le drapé vert où la couleur
rouge de la préparation est visible par suite
d'usure ou de transparence accrue, la
retouche pourra être parfaitement imitative
grâce à la pose d'un simple glacis vert sur la
sous-couche rouge de restauration. Dans les
zones plus chargées de blanc comme le long
de la couture, dans le bleu, on utilisera la
méthode traditionnelle de tons de fond
clairs et froids sur lesquels un glacis plus
sombre et plus chaud permet d'obtenir
l'identité chromatique avec l'original avoisinant. Les couleurs posées par le restaura-

*70*

teur sont limitées au strict contour de la lacune. La réintégration a permis de cacher les accidents qui rompent la lecture de l'œuvre.

Restaurateurs :
Graciela Mondorf et Nicole Delsaux (1979)

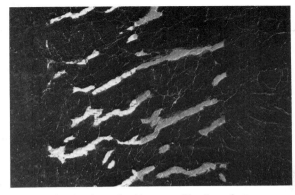

**24. Détail de très près montrant la superposition des couleurs dans une retouche « illusionniste ».**

**24. Détail montrant la réintégration « illusionniste ».**

25

## Les repentirs

Le repentir en peinture est la matérialisation visuelle d'un changement d'idée de l'artiste. On peut percevoir des repentirs de diverses manières : des empâtements superficiels contrariés par d'autres sous-jacents témoignent de deux compositions superposées ; la couche picturale sous-jacente peut réapparaître par usure superficielle ou seulement transparence accrue de la couche finale ; des craquelures prématurées localisées, dues au défaut de séchage de la couche finale posée sur une sous-couche déjà grasse, témoignent souvent d'un repentir local comme dans le visage de la Muse du portrait de Cherubini par Ingres.

L'apparition du repentir est le résultat d'une faute technique de l'artiste qui, changeant d'idée, aurait dû gratter la peinture qui ne lui plaisait plus ; ayant négligé cette précaution, l'artiste s'est exposé à ce que le temps dévoile de manière indiscrète son processus créateur.

Comme il faut ajouter le moins possible à une œuvre d'art, il est souhaitable de laisser un repentir visible, sans aucune retouche, s'il ne perturbe pas la lecture de l'œuvre, telle la troisième jambe du Général Fournier Sarlovèze dans son portrait en pied par Gros, qui n'exige aucune réintégration. Si par contre le repentir apporte une perturbation notable, il exige d'être « cassé » par l'apport de quelques points de couleurs pour faire passer cette forme au second plan.

## Repentir laissé visible

### Nᵒ 25

VOUET (Simon)
Paris 1590 - Paris 1649
*L'Eloquence*
Bois, H. 0,80; L. 1,00
Louvre (MI 1119)

Il s'agirait de la muse Polymnie, comme peut l'indiquer l'attitude oratoire et le texte « suadere ». Vouet a peint cette allégorie après son retour en France en 1627, dans une palette claire et avec une matière picturale aux forts empâtements.

Cette figure de l'Éloquence présente la trace d'une première idée de l'artiste ou « repentir » dans la main levée dont la position des doigts a été légèrement modifiée.
Vouet avait recouvert, de la couleur brune du fond, les doigts de sa première composition, mais par une légère usure sur le relief qu'elle constitue ou par simple transparence accrue, cette première idée est devenue visible : ce repentir ne gêne pas la lecture et doit être laissé sans aucune retouche. Les repentirs sont fréquents au XVIIᵉ siècle[124], à l'époque où l'artiste après avoir étudié sa composition grâce à de nombreux dessins préparatoires, ne s'astreint plus à réaliser un carton à grandeur avant de le transférer, mais semble souvent peindre directement sur le support préparé[125].

Restaurateur : Lucien Aubert (1968).

25. **Détail montrant un repentir laissé visible.**

26

## Repentir atténué

**N° 26**
COYPEL (Noël)
Paris 1628 - Paris 1707
*La Visitation*
Toile, H. 0,85 ; L. 1,45
Paris, Assistance Publique (LC 1)

Les archives de l'Assistance Publique révèlent que Noël Coypel reçut le 28 mars 1663 « 250 livres pour deux tableaux ovales qu'il a fait dans la Chapelle des Incurables ». Il s'agit de cette « Visitation » et de son pendant, « L'Adoration des Bergers », toutes deux attribuées à tort, précédemment, au peintre Simon François de Tours. La Visitation, œuvre de jeunesse de Noël Coypel, témoigne d'un style proche de Le Sueur avec des coloris raffinés et qui va évoluer vers un aspect plus sculptural.

Ce tableau arrivé à l'atelier en cours de soulèvements généralisés, sous vernis jauni et complètement repeint, a fait l'objet immédiatement d'une mesure conservatoire : le renouvellement du rentoilage a permis de pallier les chutes de matière. L'allégement du vernis et l'enlèvement des très nombreux repeints qui couvraient la robe bleue de la Vierge révélèrent une matière picturale de belle qualité et des lacunes moins graves que prévues ; sous les repeints grossiers qui maculaient le vêtement de sainte Elisabeth, d'importantes lacunes de matière picturale jaune ont fait apparaître une sous-couche violette correspondant à une première version ; l'artiste avait d'abord conçu la figure de sainte Elisabeth agenouillée et sa main droite repliée devant elle ; dans la version finale, la sainte est debout et sa robe violette couverte d'un manteau jaune. Lors de nettoyages peut-être très anciens la matière picturale de la seconde version de Coypel a été usée : la partie basse de la robe violette et la main droite de sainte Elisabeth ont été mises à nu et recouvertes de retouches qui se sont altérées ; l'enlèvement de ces repeints a fait réapparaître les usures et accidents anciens.

Il était indispensable d'atténuer la gêne qu'apportait à la lecture de la Visitation, la figure sous-jacente agenouillée de sainte Elisabeth ; la réintégration devait faire passer au second plan ce repentir sans cacher complètement ce témoignage du processus créateur que le temps avait fait réapparaître, la retouche transparente et discrète a consisté à casser par quelques points de couleur les contours de la première version qui s'imposaient par rapport à la deuxième.

Restaurateur : Sarah Walden (1977).

**26. Détail montrant le premier visage.**

Étude du Laboratoire de Recherche des Musées de France

*La photographie obtenue en infra-rouge — radiations qui rendent transparents vernis etg lacis — a permis de découvrir sur le personnage d'Elisabeth un repentir du peintre : un premier visage de la sainte apparaît en effet au niveau du buste. La reprise de Coypel et quelques restaurations postérieures ne permettaient pas de percevoir à l'œil cette transformation. La radio-graphie de ce même détail explique clairement la première pensée du peintre : Elisabeth se prosterne devant la Vierge, la main sur la poitrine, en attitude soumise. Coypel a abandonné cette esquisse pour situer la figure telle que nous la voyons aujourd'hui sans apporter de reprise aux personnages de Zacharie et de la Vierge dont le geste et le regard s'adressent mieux à sainte Elisabeth agenouillée que debout.*

### Repentir caché

**N° 27**
VAN DYCK (Antoon)
Anvers 1599 - Londres 1641
*Saint Sébastien secouru par les anges*
Toile, H. 1,97; L. 1,45
Louvre (Inv. 1233)

Le thème du martyre de saint Sébastien a été souvent traité par Van Dyck : cette version a été longtemps considérée comme originale puis a été parfois mise en doute. Depuis sa récente restauration, elle doit être rendue à l'artiste et datée vers 1630, à son retour d'Italie.

Le vernis très jauni qui recouvrait ce tableau a été allégé ce qui a permis d'apprécier la qualité d'exécution de l'œuvre. Le bleu du ciel contient un peu de smalt[126], responsable de son aspect un peu irrégulier : le smalt se décolore dans l'huile et forme une couche blanchâtre qui est une altération irréversible à accepter.

Le visage du saint a réservé une surprise : au-dessous des yeux, sous un épais repeint assombri, est apparu un troisième œil, témoignage de l'hésitation de l'artiste sur la position de la tête de saint Sébastien, prévue

27

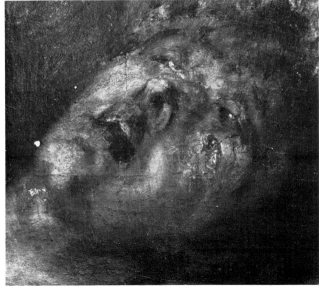

**27. Détail montrant un troisième œil avant réintégration.**

à l'origine plus renversée en arrière ; l'axe du visage et la position des yeux ont changé ; déjà dénudé lors d'un nettoyage ancien, ce repentir avait été masqué ; il exige de nouveau d'être caché pour rendre son regard à saint Sébastien : la retouche ancienne doit être renouvelée.

Restaurateur : André Ryzow (1977)

## Les Craquelures prématurées

A la différence des craquelures d'âge qui sont des altérations nobles de la peinture, fonction du vieillissement normal de la matière et qui, facteur d'authenticité, ne doivent pas être retouchées, les craquelures prématurées sont le résultat d'une faute technique de l'artiste qui n'a pu obtenir que sa matière sèche de manière satisfaisante. Les causes possibles sont multiples : une sous-couche grasse ne permet pas au liant de la couche supérieure de sécher et s'amaigrir en imprégnant une préparation poreuse ; une trop grande richesse en huile ralentit le séchage[127] ; certains pigments empêchent l'huile de sécher[128] tel le bitume[129]. Les craquelures prématurées sont une altération typique de la peinture anglaise du XVIIIe siècle[130] et française du XIXe siècle qui a beaucoup fait usage du bitume en couche épaisse[131] comme Prud'hon dans de très nombreux tableaux tel la *Justice et la Vengeance poursuivant le Crime*[132]. Ces craquelures sont mentionnées au XIXe siècle comme celles des peintures modernes[133], dès 1822 le *Port de Saint-Malo* peint par Hue en 1798 est sujet à ces crevasses.

Elles peuvent aussi être dues à la mauvaise habitude de vernir la peinture trop tôt alors que l'huile est encore trop fraîche. Il se peut que la cause de ces craquelures soit aussi l'usage de siccatifs de surface très appréciés au XIXe siècle car ils permettaient de travailler avec beaucoup d'huile et avec du bitume tout en rendant possibles des reprises immédiates suivant l'inspiration du moment. Les craquelures prématurées se rencontrent déjà souvent à la fin du XVIIIe siècle, quand les traditions d'atelier se perdent avec la formation plus académique et intellectuelle des peintres et même à des époques plus anciennes lorsque les artistes commencent à utiliser l'huile qui est un liant nouveau pour eux, comme Fouquet dans le *Portrait de Charles VII,* en France au milieu du XVe siècle[134] et comme les peintres du Studiolo d'Urbino vers 1470 dont le type de touche trahit un liant huileux qu'une prochaine étude va préciser.

Ces craquelures peuvent être fines ou très larges, leur fond clair ou sombre : si elles sont gênantes et rompent les formes, il est nécessaire de faire une retouche le plus souvent transparente du type glacis non pour les cacher mais pour les atténuer et mettre en valeur les figures dont la lecture était perturbée. Mais si ces craquelures forment un réseau localisé ne brisant pas les lignes voulues par l'artiste, s'il n'y a pas dislocation de la forme, il est possible de ne pas les réintégrer et de les laisser visibles en témoignage des difficultés techniques courantes à certaines époques.

28

## Craquelures prématurées
## au milieu du XIXe siècle

### No 28

DECAMPS (Alexandre Gabriel)
Paris 1803 - Fontainebleau 1860
*Chevaux de halage*
Toile, H. 0,657; L. 0,815,
signé et daté en bas à gauche : *1842 DECAMPS*
Louvre (MI 244)

Decamps, connu d'abord comme orientaliste
après le Salon de 1831, fut aussi animalier et

peintre de genre; après son triomphe lors du
Salon de 1855, il se fixa à Fontainebleau. Cette
scène de genre est traitée dans une matière
généreuse et avec des oppositions d'ombre et de
lumière typiques de l'artiste.

La matière picturale du XIXe siècle est
plus complexe à étudier que celle des siècles
précédents car les matériaux sont plus
nombreux mais surtout parce que souvent
les peintres se permettent des innovations
au lieu d'appliquer les techniques tradition-

nellement apprises par le long apprentissage en atelier.

Sous cette matière empâtée, Decamps avait prévu une première composition plus lisse dont une petite partie est visible en bas, sur 3,5 cm de haut puis il a travaillé de nouveau son œuvre quand un cadre masquait cette partie inférieure; la nouvelle matière grasse, posée sur une peinture déjà grasse, a eu des difficultés à sécher : des craquelures prématurées sont apparues en bas à gauche dans la zone de la signature; elles sont peu gênantes et n'exigent aucune retouche.

Les zones brunes chargées en bitume, matériau qui ne sèche jamais et pourtant très apprécié des peintres français du XIXᵉ siècle, présentent des craquelures prématurées souvent peu gênantes car, limitées à des zones et des formes précises, elles ne rompent pas la lecture.

Le ciel bleu vert est affecté d'un important réseau de craquelures prématurées qui en perturbe beaucoup la lecture. La matière picturale du ciel, sujette à une difficulté de séchage, semble avoir glissé sur la préparation; à gauche au-dessus de la gardeuse d'oies un début de réintégration est proposé : un glacis bleu-verdâtre posé dans le fond clair des craquelures atténue l'effet de « filet » qui recouvre le ciel; ce glacis rend meilleure la lecture du sujet du tableau en supprimant un aspect accidentel qui attire l'attention, sans cacher complètement ces craquelures typiques de la technique de nombreux peintres du XIXᵉ siècle français.

Restaurateur : Geneviève Lepavec (1980)

**28.** Détail montrant les craquelures prématurées, avant réintégration à droite, atténuées à gauche.

29

## Craquelures prématurées au XVIIIe siècle

### No 29
HUE (Jean-François)
Saint-Arnould-en-Yvelines 1751 - Paris 1823
*Marine : la rade et le port de Saint-Malo*
Toile, H. 1,52; L. 2,59
Paris, Musée de la Marine (Inv. 5399)

J.-F. Hue, peintre de l'Académie, réputé pour ses combats navals, avait été chargé en 1791 d'achever la commande officielle de la suite des Ports de France laissée inachevée par son maître Joseph Vernet à cause de la guerre de Sept Ans ; il en exécuta six qui furent exposés au Palais du Luxembourg et qui témoignent de son goût pré-romantique.

L'allégement du vernis irrégulièrement jauni a rendu au tableau son unité et une harmonie plus froide, celle de ce naufrage ; de nombreuses craquelures prématurées dans la partie basse étaient couvertes de repeints dont la couleur s'était altérée et qu'il fallut enlever. L'artiste a repris sa toile et il a transformé une première composition, dont le ciel clair et lumineux est visible sur le bord gauche, en une nouvelle dont le ciel d'orage violacé a été obtenu par des touches minces de gris et de rose visibles près du drapeau à gauche[135]. Dans la partie basse, la reprise de la mer par l'artiste a dû être faite dans une matière grasse et épaisse

**29. Détail montrant des craquelures prématurées atténuées.**

qui, posée déjà sur une couche grasse, n'a pu sécher aisément : déjà en 1822, des craquelures étaient signalées comme gênantes dans la partie basse et la décision de restauration prise à l'époque signifiait qu'elles devaient être cachées; les retouches faites au xixe siècle pour les cacher se sont altérées et durent être enlevées; après nettoyage du tableau, allégement du vernis et enlèvement des repeints, les craquelures prématurées de la partie basse réapparurent. De nos jours de telles craquelures ne sont plus cachées, mais atténuées pour permettre une meilleure lecture, en particulier des figures du 1er plan qui s'agitent sur la mer démontée : un mince glacis verdâtre, posé au fond de chaque craquelure, rétablit la continuité de la mer et ce glacis, couleur de mer, suffit à atténuer les ruptures de la peinture dans les zones noires, rouges ou jaunes des figures et à en rétablir la lecture[136].

Sur les bateaux à droite, quelques craquelures prématurées dans les bruns dues à l'emploi de bitume, sont localisées, fines, et ne gênent pas la lecture : elles ne nécessitent aucune réintégration.

Restaurateur : Michel Jeanne (1976)

# NOTES

1. Cat. Exp. Rest., Avignon, 1976.

2. Cat. Exp. Rest., Firenze, 1972.

3. Marot P., « Recherches sur les origines de la Transposition en France », *Annales de l'Est*, vol. 1, pp. 241-283.

4. Vincent, Taunay, Guyt on, Berthollet : rapport de l'Institut National sur la restauration du tableau de Raphaël, la Vierge de Foligno, dans Passavant J.D., *Raphaël d'Urbin et son père Giovanni Santi*, Paris, 1860, t. 2, pp. 622-629.

5. Émile-Male G., « J.B.P. Lebrun : son rôle dans l'histoire de la restauration des Tableaux du Louvre », *Mémoires de Paris et de l'Ile de France*, vol. 8, pp. 371-417.

6. Arch. Louvre, Rapport sur la situation des ateliers de restauration des Peintures du Musée du Louvre et leur réorganisation, par Jeanron, Directeur des Musées Nationaux, 25 avril 1848.

7. Parallèlement, il existe un service de restauration des œuvres d'art des Musées Classés et Contrôlés, rattaché à l'Inspection Générale de ces Musées.

8. The Catalogue of the cleaned pictures' Exhibition, Préface de Hendy P., The Trustees of the National Gallery, London, 1947.
Huyghe R., Brandi C., Schendel A. van, Coremans P., Pease M., « Cleaning of Pictures — Le nettoyage des Peintures », *Museum*, vol. 3, 1950, pp. 189-243.
Huyghe R., « Le nettoyage et la restauration des Peintures anciennes. Position du problème », *Alumni*, vol. 19, pp. 252-261.
Ruhemann H., *The Cleaning of Paintings: Problems and Potentialities*, London, 1968, pp. 405-406, 423-427.
Philippot P., « La notion de patine et le nettoyage des peintures », *Bulletin de l'I.R.P.A.*, 1966, vol. 9, pp. 138-143.

9. Huyghe R., *Museum*, vol. III, nᵒ 3, 1950, p. 199; *Alumni*, vol. 19, 3-4, pp. 254-255.

10. Goupil et Desloges, *Traité méthodique et raisonné de la peinture à l'huile... suivi de l'art de la restauration...*, Paris, Arnauld de Vresse, 1867, p. 62.

11. « Dossier 1980 Année du Patrimoine », *Culture et Communication*, nᵒ 23, janvier 1980, p. 6.

12. Cesare Brandi, historien d'art italien, fut chargé en 1939 de créer l'Institut Central de Restauration de Rome dont il fut le Directeur jusqu'en 1971. Il créa en 1955 à l'Université de Rome le cours « Teoria e storia del Restauro » et publia en 1963 le livre « Teoria del Restauro » (Rome), où il définit la restauration : p. 34 « il restauro costituice il momento metodologico del riconoscimento dell'opera d'arte, nella sua consistenza fisica e nella sua duplice polarità estetica e storica, in vista della sua trasmissione al futuro », ce qui reprend les termes d'un de ses articles essentiels : « Il fondamento teorico del Restauro », *Bollettino dell'Istituto Centrale del Restauro*, 1-1950.

13. John Ruskin (1819-1900), critique d'art anglais, a écrit des ouvrages essentiels où sont exposées sa conception de la restauration et son analyse du passage du temps sur les œuvres : en 1849 *Lamps of Architecture* et en 1851 *Stones of Venice*. On peut résumer sa pensée en quelques lignes : « restaurer est impossible car c'est ressusciter les morts... c'est vouloir retrouver l'esprit de l'artisan qui est mort autrefois » et de plus « l'architecture ancienne que nous admirons est aussi œuvre de la nature, de la pluie et du soleil; la sublime patine a une fonction noble de témoignage de l'âge, ce qui est le plus beau titre de gloire de l'œuvre d'art ». Consulter aussi Ceschi Carlo, *Teoria e Storia del Restauro* », Roma, 1970.

14. Viollet-le-Duc (1814-1879), architecte-restaurateur auquel on doit le sauvetage d'édifices médiévaux nombreux tels la Madeleine de Vézelay. Il définit le mot restauration dans son *Dictionnaire raisonné de l'architecture française du XIᵉ au XVIᵉ siècle* en 1866 : « Restaurer, le mot et la chose sont modernes; restaurer un édifice, ce n'est pas le réparer ou le refaire, mais le rétablir dans un état complet qui peut n'avoir jamais existé à un moment donné ». Cette conception d'un savant, qui a étudié le passé et croit pouvoir rendre la vie, est opposée à celle de Ruskin, poète sensible au charme d'une époque révolue. Sur Viollet-le-Duc, consulter le catalogue de l'exposition « Viollet-le-Duc », Paris, Grand Palais, 1980.

15. Philippot P., « La notion de patine », *Bulletin de l'I.R.P.A.*, 1966. Sur l'histoire de l'acception du mot « patine », consulter Marijnissen, t. I., p. 214, et Brandi C., 1963, p. 117.

16. Brandi C., 1963, p. 118 « l'ufficio della patina... di smorzare la presenza della materia nell opera d'arte ».

17. Une couche picturale devient avec le temps plus transparente parce que l'indice de réfraction de l'huile augmente en vieillissant, se rapproche de celui du pigment et l'ensemble est plus homogène vis-à-vis de la transmission de la lumière.

18. « Cours sur la restauration des peintures murales » au Centre International pour la conservation des biens culturels à Rome (Conférence de Laura Mora en 1972).

19. Huyghe R., *Alumni*, 1950.

20. Hours M., *La découverte de la peinture par les méthodes physiques*, Paris, Arts et Métiers graphiques, 1957.

21. Hours M., *Les Secrets des Chefs-d'œuvre*, Paris, Laffont, 1964.

22. Chaptal M., *La Chimie peut-elle servir aux Arts!* Paris, 1805, et Chaptal M., « Sur quelques couleurs trouvées à Pompeia », *Annales de Chimie*, (10), 1809.

23. O'Reilly, « Sur la restauration des vieux tableaux : transposition de la Vierge de Foligno de Raphaël », *Annales des Arts et Manufactures*, t. VII, 30 Frimaire an X.

24. Le bleu de cobalt, découvert en 1802 par Thénard, très stable en milieu acide, est un substitut du lapis; il fut très tôt utilisé en peinture, en particulier chez Bonington (1801-1828).

25. Brommelle, N., « Material for a History of Conservation », *Studies in Conservation*, vol. II, 1956-4.

26. Cf. Marijnissen, p. 274.

27. Cf. Ruheman H. et Stolow N., Feller R., Jones E.H.

28. Spectographie infra-rouge et colorations sélectives (connaissance des liants); diffraction X et fluorescence X (connaissance des pigments).

29. Conférence de Paul Philippot, 18 octobre 1975, Venise, Congrès trien-

nal du Comité de Conservation de l'ICOM.

30. Cours « sur la restauration des peintures murales » au Centre International pour la conservation des biens culturels à Rome par Paul Philippot en 1972.

31. Conti A., p. 153, Décret du Sénat du 3 septembre 1778 qui confie à P. Edwards l'organisation de la restauration des peintures publiques de Venise : « ... XIV Finalmente s'impegnano di non usare sui quadri ingredienti che non si possono piu levare, ma ogni cosa necessariamente adoperata sarà amovibile da quelli dell'arte ogni qual volta si voglia ».

32. Cagiano de Azevedo M., *Il gusto nel restauro delle opere d'arte antiche*, Roma, Olympus, 1948, p. 48.

33. Giuseppe Valadier l'architecte d'origine française que Napoléon a chargé d'organiser la restauration du Forum de Rome (cf. Marconi P., *Valadier G.*, Roma, 1964, et Lapadula A., *Roma e la regione nell' epoca napoleonica*, Roma, 1969).

34. Philippot A. et P., 1959.

35. Les préparations rouges ont fait l'objet de plusieurs études : Delbourgo S. et Petit J., « Application de l'analyse microscopique et chimique à quelques tableaux de Poussin », *Bulletin du Lab. D.M.F.*, 1960.
Rioux J-P., « Note sur l'analyse de quelques enduits provenant de peintures françaises des XVII et XVIIIe siècles », *Annales du Lab. D.M.F.*, 1973.

36. Beaucoup de progrès ont été faits récemment dans l'étude des liants : Gay M-C., « Essais d'identification et de localisation des liants picturaux par des colorations spécifiques sur coupes minces », *Annales du Lab. D.M.F.*, 1970.
Martin E., « Contribution à l'analyse des liants mixtes », Congrès triennal du Comité Conservation ICOM, Zagreb, 1978, Groupe 20, nº 8.
Mills J. and White R., « Analysis of paint media », *National Gallery Technical Bulletin*, 1-1977.
Mills J. and White R., « Organic analysis in the arts: some further paint analysis », *National Gallery Technical Bulletin*, 2-1978.

37. Philippot P., 1966.

38. Étude historique des vernis à tableaux d'après les textes français de 1620 à 1803 : Émile-Male G., Venise, 1975. Groupe 22, Vernis 1 (Congrès

Triennal du Comité Conservation de l'ICOM).

39. Huyghe R., *Alumni*, 1950.

40. Brandi C., 1963, p. 129 : « la volontà di spingere la iattanza della materia ».

41. Huyghe R., *Alumni*, 1950.

42. Sur les solvants, consulter Ruhemann H., 1968 et Stolow N., Feller R., Jones E.H. 1971.
Sur la lixiviation, consulter Jones P.L., « The leaching of linseed oil films in isopropyl alcohol », *Studies in Conservation*, vol. X, 1965, nº 3, pp. 119-129.
Lors du vieillissement d'un liant par l'action combinée de l'énergie de la lumière et de l'oxydation, il se forme par polymérisation des composés plus solides qu'à l'origine, les macromolécules, et des composés instables, appelés corps de décomposition, ces derniers retenus prisonniers des premiers. Un solvant, entré en contact avec la couche picturale, la fait gonfler ; quand il s'évapore, il peut entraîner les corps de décomposition instables et la couche picturale, bien que sans être dissoute, est affaiblie par le simple contact avec le solvant. Ce phénomène s'appelle la lixiviation. C'est par ce processus que peut être dégradé l'exsudat de la peinture.

43. Brandi C., « Some technical observations about varnishes and glazes », *Boll. 1st. Rest.* 3-4, 1950, pp. 9-29 et Brandi C., 1963, pp. 128-147.

44. Lettre de 1657 citée par Muraro M., « Notes on traditional methods of cleaning pictures in Venice and Florence », *Burl. Mag.* CIV, 1962, pp. 475-477.

45. Plesters J., « Dark varnishes: some further comments », *Burl. Mag.*, CIV, 1962, pp. 452-460.

46. Le Musée Espagnol constitué par le baron Taylor pour le compte de Louis-Philippe — Bazin G., *Le Temps des Musées*, Liège, Desoer, 1967, p. 193.

47. Le « jus-musée » est appelé en Angleterre « gallery varnish » et il donne ce ton doré ou « golden glow » que les amateurs appréciaient tant au XIXe siècle (cf. Marijnissen, p. 75).

48. « Select Committee on the National Gallery », 4 août 1853, p. XXVI, *Le traitement des Peintures, Musées et Monuments*, nº 2, UNESCO, 1950, p. 56.

49. L'allégement est exécuté avec des solvants que l'on classe en général de la manière suivante : essences naturelles (térébenthine, romarin, aspic, cajeput,

qui sont des oléorésines peu volatiles); hydrocarbures aliphatiques (hexane, octane, white spirit) et aromatiques (xylène, toluène, qui sont toxiques); alcools (éthylique, butylique, isopropylique...); cétones (acétone, très volatil); esters acétate de butyle, d'amyle...); éthers (diéthyléther, hydrophobe, donc convient pour cire et graisses); hydrocarbures chlorés (tétrachlorure de carbone, trichlorethylène...). Souvent un solvant à double fonction est particulièrement utile comme le diacétone-alcool (cétone et alcool) ou l'éther monoéthylique de l'éthylène glycol (éther et alcool).
Les solvants sont plus ou moins volatils et ont une plus ou moins grande affinité pour les liants de la couche picturale; le temps de rétention du solvant est quelquefois très long (plus de six mois ou même un an, cf. Dauchot M., ICOM, Venise, 1975, Grupe 21, Couche picturale, communication nº 7), ce qui explique qu'un nettoyage ne peut être rapide car on ne peut toucher à une peinture, la vernir et commencer la retouche que lorsque le solvant s'est évaporé. Cette contrainte technique doit être respectée au risque de voir mis en péril tout le travail de réintégration.

50. Le « véhiculage » d'un vernis est en général possible avec l'apport des huiles essentielles (cajeput, romarin, aspic), produits naturels aux multiples fonctions chimiques, ou avec un mélange de solvants d'espèces chimiques bien définies. Des essais sont faits par le restaurateur dans les couleurs sombres les plus fragiles, pour connaître les possibilités techniques d'allégement, puis dans les couleurs claires pour choisir esthétiquement le degré d'allégement souhaité. Ces essais peuvent traverser plusieurs couleurs et ainsi être représentatifs à la fois des contraintes techniques et de l'effet possible. Le restaurateur travaille soit au pinceau soit au coton selon le type de vernis à véhiculer et selon l'état de surface de la peinture. Lorsqu'après s'être arrêté il reprend son travail, avec beaucoup de soin il ne revient pas sur la partie déjà allégée.

51. Le Laboratoire de chimie d'organisation moléculaire de Thiais (Directeur J. Petit) a analysé les tampons d'allégement recueillis après le travail des restaurateurs sur les tableaux de Bronzino, Guerchin, Wouwerman et Wynants exposés ici; par extraction à l'acétone et centrifugation, une liqueur colorée allant du jaune orangé au brun chocolat a été séparée des poussières

déposées au cours des siècles sur les tableaux, mais aucun pigment n'a été décelé; il a été ainsi démontré que l'allégement a été fait avec un parfait respect de la couche picturale. Par examen spectral et analyse chromatographique, il a été prouvé que la couleur du vernis est due à son oxydation par vieillissement naturel sans colorant ajouté qui aurait coloré artificiellement le vernis. La recherche de manganèse dont les oxydes sont colorés et qui aurait pu être présent en tant que siccatif a été négative. Mais le fer et l'azote (ce dernier caractéristique des produits aminés) ont été mis en évidence : les combinaisons possibles entre aminoacides et fer peuvent donner lieu à la formation de sels complexes, en général de couleur jaune, dont l'intensité de la coloration est bien plus grande que celle des sels simples. La variation de coloration des vernis analysés : blond sur Bronzino (RF. 1348), jaune orangé sur Guerchin (INV. 78), roux sur Wouwerman (INV. 1959), brun sur Wynants (INV. 1967), serait fonction de la quantité de fer et d'amino-acides présents lors de l'oxydation de la résine du vernis. (rapport Jean Petit, Nov. 1979).

Il reste à savoir d'où viennent le fer et ces produits aminés; une couche picturale posée sur un encollage à la colle de peau est souvent recouverte de blanc d'œuf avant le vernissage final et il se peut que l'azote dans le vernis provienne par migration soit de la colle de peau soit de la protéine de l'œuf; quant au fer, il peut exister en tant que pigment dans toutes les terres ou en tant qu'élément erratique dû à la fabrication ancienne des matériaux de la peinture.

52.   Piva G. (a cura di), *L'arte del Restauro secondo le opere di Secco-Suardo e del prof. R. Mancia*, Milano, Hoepli, 1961, p. 143.

53.   L'éclat de la matière de Bronzino est accentué par la présence d'une couche de blanc de plomb à l'huile entre la préparation de gypse (à la colle) et les couches colorées : le blanc de plomb, couleur blanche très couvrante, réfléchit une grande quantité de lumière.
Analyse des matériaux par le Lab. D.M.F.

54.   Les carnations des maniéristes sont souvent lisses; cela ne devrait-il pas être étudié en liaison avec le liant de la matière picturale? Dans *Studies in Conservation* 16, 1971, n° 4, E. Packard a montré que les maniéristes utilisaient encore la tempera pour les chairs, mais l'huile pour les vêtements.

55.   Le lapis lazzuli, pierre précieuse très connue dans l'antiquité, est un alumino-silicate de sodium très résistant à la chaleur et aux bases, mais décoloré par les acides. Cf. Plesters J., « Ultramarine », *Studies in Conservation*, 11, 1966.

56.   La céruse ou blanc d'argent est un carbonate basique de plomb très stable lorsque le pigment est utilisé dans l'huile qui le protège de l'air, mais instable en milieu aqueux (gouache) : dans ce cas, il noircit car il y a oxydation du plomb au contact de l'air; c'est le phénomène de noircissement des rehauts de blanc d'argent sur les dessins.

57.   Le document photographique sous rayonnement infra-rouge sans hétérogénéité de réponse permet de s'attendre à la pureté de la couche picturale.

58.   On appelle « lithargeage » l'effet « granité » d'une couche picturale; dans chacun de ces petits reliefs a été en général découvert du plomb; on attribue le phénomène au broyage grossier de la céruse de la préparation (carbonate de plomb improprement assimilé à la litharge ou oxyde jaune-rouge de plomb); il se pourrait aussi que ces reliefs soient dus à la litharge que l'on ajoute à l'huile pour la rendre siccative. On remarque que la « *Résurrection de Lazare* » de Guerchin (Louvre INV. 77) est aussi affectée par ce même phénomène.

59.   Le bleu de lapis est aussi utilisé par Guerchin dans la « *Résurrection de Lazare* » du Louvre (INV. 77).

60.   Souvent les glacis bruns sont plus fragiles que d'autres parce que leur séchage est entravé soit parce que le pigment est inhibiteur de séchage de l'huile (brun van Dyck...) soit parce que le pigment absorbe beaucoup d'huile (oxyde de fer).

61.   Analyse du Lab. D.M.F. : « La présence d'un module rougeâtre n'infirme pas la présence éventuelle de bitume ».

62.   L'enlèvement des repeints se fait soit mécaniquement à l'aide d'un scalpel, sous microscope, soit à l'aide de produits chimiques; les repeints à base de cire ou de résine (au vernis) sont dissous par des solvants; les repeints à l'huile sont détruits chimiquement par des réactifs basiques dont les plus courants sont une solution faible d'ammoniaque et la diméthyl-formamide; les repeints à l'œuf sont détruits chimiquement par les réactifs acides.

63.   Cat. Exp. « Firenze restaura », IV, 4, pp. 24-25 et Conti A., p. 42.

64.   Déon H., *De la conservation et de la restauration des tableaux*, Paris, Bossange, 1851, p. 123.

65.   Guillerme J., p. 70.

66.   Camesasca E., *Michelangelo pittore*, *Opera completa*, Milano, Rizzoli, 1972, p. 104.

67.   Cagiano de Azevedo M., cf. note 21.

68.   Guillerme J., photographies avant et après enlèvement du repeint entre les pages 98 et 99.

69.   La main de Judith se détache sur un fond vert en très bon état qui peut être un résinate de cuivre, cf. analyse du Lab. D.M.F.
Le résinate de cuivre fabriqué par macération de vert de gris dans du vernis (vert « glassé » du manuscrit de Bruxelles de René Le Brun, 1635, déjà cité en 1587 par Armenini est considéré très récemment comme assez solide; lorsqu'il y a roussissement en surface d'un glacis vert, il semble qu'il s'agisse davantage de vert de gris dans l'huile que de résinate (cf. H. Kuhn « Verdigris and copper resinate », *Studies in Conservation*, 15, 1970, p. 33).

70.   Analyse du Laboratoire de Recherche des Musées de France.

71.   Le liant du bol rouge est l'albumine (analyse du Lab. D.M.F.); selon la technique décrite par Cennino Cennini, *Il Libro dell'Arte*, 1437, le liant du bol rouge est du blanc d'œuf battu; mais on trouve aussi des bols rouges dont le liant est de la colle de peau comme dans le « *Polyptyque de San Sepolcro* » de Sassetta à Londres (cf. Plesters J., « Sassetta », *National Gallery Technical Bulletin*, Sept. 1977, vol. I, p. 11).

72.   Dans la peinture « a tempera », le liant à l'œuf (au jaune de l'œuf) sèche rapidement et exige de modeler les formes par juxtaposition des touches. La « tempera » est la technique la plus répandue au Moyen-Age dans l'Europe méditerranéenne, mais l'huile est répandue dans l'Europe du Nord : les devants d'autel norvégiens sont peints avec un mélange d'œuf et d'huile dès 1250 (cf. Plahter L.E., Plahter U. and Skaug F., « Gothic painted altar portals », *Medieval Art in Norway*, vol. 1, Oslo, 1974) et à l'huile au XIV° siècle (cf. Kaland B., « The antependium of Tresfjord », *Norske fortid bevaring*, n° 121-122, 1966-1967).

73.   La carnation est faite chez les Primitifs italiens jusqu'au XV° siècle d'une sous-couche de terre verte (argile colorée au fer), puis de blanc sur les

lumières et de rouge sur les lèvres et les pommettes, enfin d'ombres posées au « verdaccio » (ocre jaune avec du noir, du blanc et du rouge), « sans couvrir jusqu'à empêcher le vert de transparaître » précise Cennini.

74.   Le bleu de Prusse, identifié par le Laboratoire de Recherche des Musées de France, a été découvert en 1704 en Allemagne par Diesbach.

75.   Le liant du repeint a été identifié par le Laboratoire de Recherche des Musées de France.

76.   « Cangianti » soit changeants, en italien.

77.   Cf. Bergeon S., 1976, p. 29 et Bergeon S. et Mognetti E., *Revue du Louvre*, 4, 1977.

78.   Il semble que l'on aperçoive une couche rougeâtre ; une feuille d'or aurait-elle été complètement usée et s'agirait-il des 3 pommes d'or de Nicolas de Bari ? ou d'un autre attribut ? Cf. Bergeon S. et Mognetti E., *Revue du Louvre*, 4-1977.

79.   La pose de l'or selon la technique de C. Cennini nécessite quatre couches au moins de bol d'Arménie (argile colorée à l'oxyde rouge de fer) mêlé à du blanc d'œuf battu ; les feuilles sont posées sur un champ préparé au blanc d'œuf puis brunies à l'or ou à l'agathe ; les décors sont repris au compas ou au pinceau.

80.   L'or est si mince et transparent aux rayons X que la radiographie ne permet pas de détecter l'existence ou l'absence d'un fond d'or original.

81.   Il se peut que le peintre restaurateur ait ajouté du siccatif dans la mixtion oléo-résineuse, ce qui a accéléré le séchage de surface, mais la matière était restée visqueuse en profondeur ; les craquelures prématurées se sont formées au fur et à mesure du séchage en profondeur.

82.   Analyse du Lab. DMF.

83.   Le fond d'or du centre du polyptyque « *La Vierge à l'Enfant* », dans la collection Davia Bargellini, a été gratté et, après restauration, la préparation claire apparaît nue (vu par S. Bergeon, Sept. 1979).

84.   Plesters J., 1956 ; Hendy P. and Lucas A.S., 1968.

85.   La formation de craquelures prématurées est ici due soit à une trop grande richesse en huile, soit à l'usage de siccatif.

86.   Conti A., pp. 98-106.

87.   Brandi C., p. 63.

88.   Vindry G., *Restaurations et modifications des peintures dans les collections françaises du XVIᵉ siècle à la fin du XVIIIᵉ siècle*, Mémoire de l'École du Louvre, 8 juillet 1969.

89.   Analyse des matériaux par le Lab. D.M.F.

90.   Le surjet est le type de couture ancienne pour raccorder deux toiles ; la couture dite « anglaise » n'apparaîtra qu'au XIXᵉ siècle.

91.   Cf. Analyse des matériaux par le Lab. D.M.F.
Bien que transposé, il subsiste un peu de préparation blanche originale.

92.   Le bois gonfle en climat humide, se rétracte en climat sec ; ce jeu est important surtout perpendiculairement à la direction du fil du bois ; les éléments à contre-fil ont contraint le panneau central.

93.   Coppier A-C., « Les Chefs-d'œuvre maquillés », *Les Arts*, 1913, p. 17.

94.   Coppier A-C., « Faut-il dégager nos chefs-d'œuvre ? », *L'Amour de l'Art*, 1924, p. 181.

95.   La robe verte de la femme adultère a dû être autrefois enrichie de glacis d'un vert-sombre profond qui avaient bruni quand l'agrandissement a été exécuté, ce qui expliquerait la couleur brune du bas de la robe du personnage ; on peut faire l'hypothèse que l'ensemble a été nettoyé fortement et le vert roussi de la robe originale, confondu avec un vernis ayant bruni, aurait été usé puis raccordé. Le problème du brunissement des verts est complexe et vient d'être étudié spécifiquement. Kockaert L., « Note on the green and brown glazes of old paintings », *Studies in Conservation*, vol. 24, nᵒ 2, 1979.

96.   L'assemblage en onglet est repérable à la ligne diagonale de craquelures visible sur la face.

97.   Le repeint gris est assez ancien car il diminue l'acuité des bords des craquelures sans les cacher complètement.

98.   Brandi C., 1963, p. 57 : « Il restauro secondo l'istanza della storicità », et p. 67 : « Il restauro secondo l'istanza estetica ».

99.   Déon H., p. 212 (cf. Note 64).

100.   Brandi C., 1963, p. 103 et Conférence au XXᵉ Congrès d'Histoire de l'Art de New-York, Sept. 1961. « Postilla teorica al trattamento delle lacune ».

101.   Bergeon S., « La réintégration des Primitifs Italiens. Problèmes critiques ». Congrès de Veszprem, Juillet 1978. *Institute for Conservation and Methodology Museum*, Budapest, 1979, p. 124.

102.   Le înot « pittoresque » veut dire activité du peintre par opposition aux interventions sur le support ; il est signalé à propos du restaurateur Roeser par G. Émile-Mâle dans la « *Transfiguration* » de Raphaël, estratto dai *Rendiconti della Pontifica Academia Romana di Archeologia*, vol. XXIII, 1961, pp. 225-236.

103.   Marijnissen, t. 1, p. 30 et t. 2, note 23.

104.   La retouche au vernis est utilisée à Venise chez P. Edwards (cf. Marijnissen, p. 38) ; une polémique s'engagea à Rome contre la restauration au vernis et pour le secret de Margherita Bernini (cf. Conti, p. 144 et p. 235), qui semble être de la cire ; de nombreuses expériences à la cire sont faites au XIXᵉ siècle, dont celles de P. Palmaroli à Rome et celle de G. Zeni à Padoue (cf. Bergeon S., *Contribution à l'histoire de la restauration des Peintures en Italie au XVIIIᵉ siècle et au début du XIXᵉ siècle*, Mémoire de l'École du Louvre, Juin 1975).
Au cours du XIXᵉ siècle, la retouche conseillée est sans huile, plutôt une retouche où les couleurs sont très délayées dans l'essence et mêlées au mastic. Roehn C., *Physiologie du Commerce des Arts suivie d'un Traité sur la Restauration des tableaux*, Paris, Lagny, 1841, p. 222 et Déon H. (cf. Note 64), p. 116.

105.   Philippot A. et P., 1959 et 1960.

106.   Dans l'*Encyclopédie*, l'article sur la restauration est écrit par le Chevalier de Jaucourt, « Remettre en sa première forme », 1765, tome XIV. On cite la restauration de « *Io* » du Corrège par Collins en 1766 où il « refit deux têtes indiscernables de l'original » : le but est l'imitation.

107.   Brandi C., 1963, p. 102 ; Tav. VI, fig. 1 et 2.

108.   Brandi C., 1963, Tav. VI, fig. 1 et 2.

109.   Déon H. p. 116. (cf. Note 64).

110.   Cf. Holm W.A., *La télévision couleur sans mathématique*, Paris, Dunod, 1968, et sur l'application à la restauration consulter Brans S., « Quelques aspects de la couleur en restauration des peintures d'art », *Bulletin du Centre français de la Couleur*, nᵒ 4, 1978.

111. Brandi C., 1963, p. 41 et *Boll. Ist.* 2-1950.

112. Cesare Brandi fait appel à la « gestalt phychologie », 1963, p. 48.

113. Une griffure sur un cassone italien (coffre de mariage) ne sera pas réintégrée ; cette altération, caractéristique de son usage, est une sorte de patine d'utilisation ; de même, une brûlure de bougie sur une peinture autrefois tableau d'autel ne sera pas réintégrée, cette altération est un témoignage de la fonction originale de l'œuvre. Bergeon S., 1976, p. 31.

114. La couche colorée posée sur un fond d'or est enlevée par griffure (sgraffare = enlever par griffure) pour faire réapparaître l'or. Sur les analyses de matériaux, consulter : Plesters J., « A technical examination of some panels from the Sassetta's San Sepolcro altarpiece », *National Gallery Technical Bulletin*, vol. 1, Sept. 1977, p. 12, « How to execute gold or silver brocades ».

115. Jusqu'en 1976, le « tratteggio » avait été réalisé sur les fonds d'or, à l'aide de seules couleurs (jaune, vert, rouge), sans aucun apport d'or ; une meilleure intégration a été souhaitée depuis cette époque, ce qui a entraîné l'apport d'or.

116. Le bleu vif du manteau de la Vierge est du lapis lazzuli. (Analyse par le Lab. D.M.F.).

117. La confirmation de l'existence d'une feuille d'argent est due à l'analyse du Lab. D.M.F., car il n'en reste plus un seul fragment métallique discernable à l'œil nu. De nombreux cas de noircissement, usure et pertes de brocart d'argent sont observés aux anges de Sassetta de la « *Vierge aux anges* » (Louvre RF 1956-11), sur les anges de Giovanni di Paolo dans la « *Nativité* » (Coll. Campana, Avignon, INV. 20283), sur le revers du manteau du « *Saint Augustin* » de Giovanni di Paolo (Coll. Campana, Avignon MI 513) et sur les panneaux du « *Polyptyque de San Sepolcro* » de Sassetta de la National Gallery de Londres étudiés par J. Plesters, cf. loc. cit. note 114, 1977, p. 11.

118. Cf. Note 95 sur le roussissement des verts.

119. Peut-être ce brunissement du liant intersticiel est-il dû à la formation de sulfure de cuivre par réaction entre l'azurite (carbonate de cuivre) et le soufre d'un éventuel liant à l'œuf ; un tel composé, sulfure de cuivre très fin, diffuse dans tout le liant.

120. Si le liant est visqueux, il ne peut guère être aisément réparti en couche mince sans l'aide de la paume ; on trouve beaucoup d'empreintes à l'époque où le liant change dans la peinture vénitienne entre 1480 et 1520.
Cf. Brachert T., « Fingerprint in Leonardo », *Maltechnik*, 2-1969, pp. 33-44.

121. Nous n'avons aucune preuve reliant la restauration de ce tableau et la personne même de Revoil, à la fois peintre néo-classique et collectionneur « qui prend le microscope pour l'art de voir, ce qui lui permettait de restituer avec une préciosité d'orfèvre tout le pittoresque d'un passé disparu », Chaudonneret M-Cl. et Rosenblum R., Cat. *De David à Delacroix*, Paris, Grand Palais, 1974, à propos de Revoil, nº 153, « *François Iᵉʳ faisant chevalier son petit-fils François II* », p. 579. Mais on est un peu tenté de proposer d'attribuer la reconstitution de la main de François Iᵉʳ à cet artiste.

122. Sur le blanchiment, consulter : Boissonnas P., « A treatment for blanching in painting », *Studies in Conservation*, 22-1977, nº 1, p. 43-44. Ce n'est pas le même traitement qui a été appliqué ici, car on a voulu éviter l'usage d'huile.

123. On peut supposer que le rapport pigment-liant est tel que les sollicitations sur ces zones ont eu un résultat spécifique : la matière s'est brisée, soulevée, le bord des craquelures a été sujet à de micro-chutes de peinture. Cette matière a-t-elle mal réagi parce que plus rigide en raison du rapport pigment-liant ou à cause de sa nature plus résineuse?

124. On peut aussi noter les Muses de Lesueur, « *Clio, Euterpe et Thalie* » (Louvre INV. 8057), « *Uranie* » (Louvre INV. 8059) et la « *Victoire* » de Vouet (Louvre INV. 8499).

125. Le transfert des cartons se fait dès le XVᵉ siècle en perçant d'une aiguille le contour des dessins et en le frottant de poudre noire : celle-ci traverse le « spolvero » ; au XVIᵉ siècle, le transfert du carton est couramment obtenu par incision au stylet à travers le papier (Vasari, 1568).

126. Le smalt est un substitut du lapis qui vieillit mal : il se décolore dans l'huile par formation d'un composé organométallique (cf. Muhlethaler B. and Thissen J., « Smalt », *Studies in Conservation*, 1969, pp. 47-61, et Muhlethaler B. and Giovanoli R., « Smalt investigation of discoloured smalt », *Studies*

*in Conservation*, 15, 1970, pp. 37-44). L'usage du smalt commence au XVIᵉ siècle et se poursuit de manière continue jusque vers 1780, mais on le trouve en usage isolé plus tard (cf. Kühn H., « Terminal dates for painting derived from pigment analysis », *Application of science in examination of works of art*, 1970, Boston, pp. 199-205).

127. Certains pigments, comme l'oxyde de fer brun, absorbent beaucoup d'huile, donc une telle matière picturale, plus grasse que dans une autre couleur, sèche plus mal.

128. Le lapis est un inhibiteur de séchage de l'huile par le soufre qu'il contient en impureté.

129. Le bitume, hydrocarbure partiellement soluble dans l'huile, ne sèche jamais.

130. Où il produit l'effet de « alligatoring ».

131. Utilisé en couche mince, le bitume ne produit pas de gerçures. Cité dans les textes de 1584 par Raphaele Borghini, de 1587 par Armenini et de 1590 par Lomazzo : « il est utilisé pour ombrer les chairs ». Son usage est confirmé en 1599 par Gérard de Lairesse, « *Le Grand Livre des Peintres* », traduction par Jansen, Paris, 1787, p. 65.

132. Louvre, INV. 7340.
On peut ajouter « *L'Assomption* » de Prud'hon (Louvre, INV. 7339), « *Le Radeau de la Méduse* » de Géricault (Louvre, INV. 4884) et « *Dante et Virgile aux enfers* » de Delacroix (Louvre, INV. 3820).

133. Déon H., p. 91. (cf. Note 64).

134. Autour de 1447, dans son chapeau de lapis lazzuli et dans son vêtement de laque rouge épaisse ; on peut aussi signaler des craquelures prématurées sur d'autres tableaux, dans des zones de laque rouge épaisse : le portrait de « *Juvénal des Ursins* » de Fouquet (Louvre, INV. 9619) et le « marzocco » du cavalier central de la « *Bataille de San Romano* » d'Ucello (Louvre, MI. 469). Une analyse du liant serait intéressante à mener dans ces cas représentatifs de difficultés de séchage.

135. Les touches roses et grises sont si minces qu'elles ont bien séché sans craquelures prématurées, malgré la sous-couche grasse.

136. Autrefois, les craquelures prématurées avaient été emplies de la couleur de la zone dont il fallait rétablir la continuité.

# INDEX DES ŒUVRES

**N° 1**
BRONZINO, *La Sainte Famille.*
*Provenance :* Don au Louvre par Albert de Vandeul en 1902.
*Bibliographie :* Seymour de Ricci, 1913, n° 1183; Becherucci L., *Maneristi Toscani*, Bergamo, Istituto italiano d'arte grafiche, 1949, p. 48; Emiliani A., *Il Bronzino*, Busto Arsizio, 1960, p. 29.
*État actuel : Support,* épaisseur de 21 mm; peuplier; aminci anciennement et peint au revers.

**N° 2**
GUERCHIN, *Les larmes de saint Pierre.*
*Provenance :* Peint pour le Prince Boncompagni en 1647 à Rome; collection Louis XIV (Salon de Mars à Versailles, dessus de porte pendant d'un Raphaël); cf. C. Constans, 1976, p. 160, note 27; envoyé à Fontainebleau en 1875; revenu au Louvre en 1930.
*Bibliographie :* Le Brun, 1683, n° 399; Bailly, 1709, I, p. 195-196; Villot, 1849, I, n° 49.
*Archives restauration :* « 3 pieds 8 pouces de haut, sur 4 pieds 9 pouces de large » dans l'Inventaire de Le Brun, 1683 (soit 1,18; 1,59); signalé comme « agrandi en 1684 » dans l'Inventaire de Paillet, 1695; sur une liste de tableaux auxquels il fallait remettre toile et châssis neufs en 1697, selon des mentions ajoutées sur l'Inventaire de Le Brun, 1683; « 4 pieds 1 pouce de haut, sur 4 pieds 9 pouces de large », « rehaussé de 5 pouces », dans l'Inventaire de Bailly, 1709 (soit 1,32; 1,53); « lavé et verni en 1788 par Godefroid », (AN O¹, 1931, F. Engerand, p. 195).
Il n'y a pas de rupture de la matière picturale qui trahisse un exhaussement entre 1,18 (1683) et 1,28 (actuel); il est probable que la mesure de 1683 (Le Brun) a été prise avec le cadre. Si il a été agrandi en 1684 à 1,32 (Paillet), cet agrandissement a été supprimé, sans être signalé dans les archives, entre 1899 et nos jours.
*État actuel : Support,* anciennement rentoilé.

**N° 3**
WOUVERMAN, *Grand combat de cavaliers et de fantassins.*
*Provenance :* Vente Selle, 1761; saisie révolutionnaire de la collection du Duc de Brissac.
*Bibliographie :* Villot, 1852, II, 573; Hostede de Groot, 1908, II, 757; Foucart, Brejon, Reynaud, 1979, p. 153.
*Archives restauration :* Cité dans un mémoire de Hacquin, Vendémiaire an VII (Sept.-Oct. 1799) pour les travaux difficiles et importants dont le prix est contesté par Le Brun. Procès verbaux de l'Administration du Musée central des Arts, cité par G. E-Mâle, « J.B.P. Le Brun (1748-1813) » in *Mémoires de la Fédération des Sociétés Historiques et Archéologiques de Paris et Ile-de-France*, VIII, 1956, p. 409 : « Le Brun jugea que les difficultés alléguées par le citoyen Hacquin disparaissaient à l'examen ».
*État actuel : Support :* anciennement rentoilé.

**N° 4**
WYNANTS, *Lisière de forêt*
*Provenance :* Acquis par Louis XVI entre 1779 et 1785.
*Bibliographie :* Villot, 1852, II, n° 579; Hofstede de Groot, 1923, VIII, p. 147; Foucart, Brejon, Reynaud, 1979, p. 154.
*État actuel : Support :* anciennement rentoilé.

**N° 5**
STEENWYCK, *Intérieur d'église.*
*Provenance :* Acquis en 1817 de M. Quatresols de la Hante; envoyé à Fontainebleau en 1865; rentré au Louvre le 19 juillet 1930.
*Bibliographie :* Villot, 1852, II, n° 502; Jantzen, 1910, p. 483; Foucart, Brejon, Reynaud, 1979, p. 132.
*Archives restauration :* Restauré par Marchais en 1820 (Arch. Louvre, P 16); Intérieur d'église n° 711 du Livret : « verni par M. et Mme Maillot, 1er trimestre, pour la Galerie du Musée » en 1827 (Arch. Louvre, P. 16); Intérieur d'église n° 657 : « plusieurs parties à fixer, à Hacquin 20 Fr, au peintre 3 Fr » en 1829 (Arch. Louvre, P 16).
*État actuel : Support :* épaisseur de 7 mm; chêne; aminci anciennement, parqueté et peint. La mobilité du parquet a été rétablie par ponçage des traverses mobiles (C. Huot 1979).

**N° 6**
MASSYS, *Judith et Holopherne.*
*Provenance :* Legs du Baron de Schlichting en 1914.
*Bibliographie :* Demonts, 1922, p. 168 (attribué à); Guiffrey, *La collection Schlichting au Musée du Louvre*, G.B.A., 1920, I, p. 396; E. Michel, 1953... (réplique d'atelier); Friedländer, 1936, XIII, p. 17 (original); Foucart, Brejon, Reynaud, 1979, p. 87 (original).
*Archives restauration :* À l'entrée au musée, un constat d'état a été dressé par le conservateur M. Le Prieur en 1914 : (note manuscrite) « *Détails matériels :* parait peint sur plusieurs panneaux de bois assemblés, là où sont les fentes, les bois ont (une) inégalité de niveau aux jointures et sont légèrement en ressaut ou en dépression. *Conservation :* une fente restaurée très visible de haut en bas affleure le front à gauche (en coupant les cheveux bouffants), traverse le haut de l'épaule et du bras dont le dessous jaune clair du vêtement et la draperie rouge vif. Une autre fente à droite coupe du haut en bas l'épaule gauche et le vêtement (revers jaune et dessus rouge). Fente commençante soulevée en haut à droite dans le rideau vert (à boucher). Peinture enlevée en bas à gauche dans la draperie rouge. Taches assombries de repeints sur les nus (notamment cou, bas du sein droit, dessous du sein gauche, hanche gauche ça et là) ».
*État actuel : Support :* épaisseur irrégulière de 7 à 8 mm; les joints affaiblis ont été renforcés par des taquets de bois en surépaisseur dans le sens du fil du bois; l'ensemble est maintenu dans un châssis-cadre (C. Huot 1979).

**N° 7**
GIOVANNI DI PAOLO, *Vierge.*
*Provenance :* Collection Campana, Rome; Musée Napoléon III, Paris, 1862; déposé à Avignon en 1976.
*Bibliographie :* Laclotte et Mognetti, 1976, n° 92.
*État actuel : Support :* épaisseur de 18 mm; désinfecté au tétrachlorure de carbone et consolidé superficiellement avec une résine acrylique (C. Huot 1976).

## No 8

VAN ORLEY, *La Sainte Famille*.
*Provenance :* Acquis à la vente Otlet à Bruxelles en 1902 pour 13.500 Fr; peut-être ancienne collection du Marquis de Peralta et du roi Jacques II d'Angleterre.
*Bibliographie :* Nicolle (Marcel), « Les récentes acquisitions du Musée du Louvre », *Revue de l'Art Ancien et Moderne*, 1905, XVIII; Friedländer, 1930, VIII, p. 139; Foucart, Brejon, Reynaud, 1979, p. 99.
*État actuel : Support :* épaisseur de 9 à 10 mm; les joints affaiblis ont été consolidés en haut et en bas par des tenons placés dans l'épaisseur du panneau (C. Huot 1979).
*Refixage :* de nombreuses fois localement à la cire-résine et une fois de manière généralisée sous papier Japon (Y. Lepavec 1979).

## No 9

SALVIATI, *L'Incrédulité de saint Thomas*.
*Provenance :* Peint à Florence entre 1544 et 1548 pour Guadagni, conseiller de François Ier qui l'apporta ensuite à Lyon où il devint le tableau le plus célèbre de la ville (Chapelle Guadagni au couvent des Jacobins). Placé au dépôt général des Arts sous la Révolution et entré au Louvre sous Napoléon Ier. Cf. D. Ternois, « Les tableaux des églises et des couvents de Lyon », L'art baroque à Lyon, Lyon, 1975, p. 221.
*Bibliographie :* Vasari, note in « Vie de Salviati », *Le vite*, éd. Milanesi, 1881, VII, p. 28; Landon, 1832, vol. 14, p. 89-90; Villot, 1849, I, 367.
*Archives restauration :* Landon signale que le tableau était en mauvais état en 1807, cassé en 3 morceaux et qu'il fut transposé sur toile et restauré à l'époque. En effet, dans les Archives du Louvre, Dossier Comptabilité An XIV, 180, on trouve le mémoire de Fouque du 10 Nivôse an XIV : « Un tableau peint par Salviati représentant l'Incrédulité de saint Thomas enlevé de sur bois et remis sur toile de 8 pieds 6 pouces sur 7 pieds 3 pouces, fait 61 pieds 7 pouces, et environ 7 mètres, à 12 Fr le pied... 738 Fr »; « accorder dans le vernis » en Mars 1826 (Arch. Louvre, P 16); « Galerie, côté gauche, vernir » en juillet 1832 (Arch. Louvre, P 16).

## No 10

LORENZO MONACO, *Triptyque de saint Laurent (Détail saint Sano)*.

*Provenance :* Collection Campana, Rome; Musée Napoléon III, Paris, 1862; déposé à Avignon en 1976.
*Bibliographie :* Berenson, 1963, p. 120; Laclotte et Mognetti, 1976, no 119.

## No 11

VIVARINI, *Saint Pétrone et saint Jacques*.

## No 12

VIVARINI, *Saint Jean-Baptiste et saint Louis de Toulouse*.

*Provenance :* Collection Campana, Rome; Musée Napoléon III, Paris, 1862; déposé à Avignon en 1976.
*Bibliographie :* Berenson, 1957, p. 192; Laclotte et Mognetti, 1976, no 246 et no 245.
*État actuel : Supports :* épaisseurs de 30 mm; désinfectés au tétrachlorure de carbone et consolidés avec une résine acrylique (C. Huot 1976).

## No 13

MEMLING, *Saint Jean-Baptiste et sainte Madeleine*.
*Provenance :* Ancienne collection Lucien Bonaparte, puis Guillaume II de Hollande; acquis par le Louvre en 1851.
*Bibliographie :* Villot, 1852, II, no 288-289; Nicole Reynaud, « Reconstitution d'un triptyque de Memling », *Revue du Louvre*, 1974, no 2; Foucart, Brejon, Reynaud, 1979, p. 87.
*État actuel : Support :* sainte Madeleine, épaisseur moyenne de 3 mm; saint Jean-Baptiste, épaisseur moyenne de 4 mm; tous deux en chêne; amincis autrefois et contraints par des traverses à contre-fil; après nettoyage des traverses, l'ensemble des 2 panneaux est maintenu dans un montage de type châssis-cadre, transparent (C. Huot 1968 et 1980).

## No 14

MIGNARD, *La Vierge à la grappe*.
*Provenance :* Collection de Louis XIV, dès 1709 à Versailles, longtemps dans le Salon de Mars (cf. C. Constans, 1976, p. 60 et note 33); Mignard a peint durant son séjour à Rome deux versions très proches sur ce sujet dont l'une se trouvait dans la collection du Comte de Matignon et passa au Duc de Valentinois, son fils, où elle se trouve en 1730 (Monville, p. LVIII) et l'autre dans la collection du Roi d'Espagne et venue en France dans la dot de Marie-Thérèse; le tableau du Louvre provient de l'une d'elles (Monville, p. LVI).
*Bibliographie :* Abbé de Monville, *Vie de P. Mignard*, Paris, Boudet et Guérin,

1730, p. LVIII et p. LVI; Lavallée J., *Galerie du Musée Napoléon*, Paris, Filhol, 1804-1825, IV, pl. 260, « 3 pieds 6 pouces sur 3 pieds » (soit 1,13; 0,97); Landon, 1829, II, pl. 66, « 3 pieds 8 pouces sur 2 pieds 9 pouces » (soit 1,21; 0,89); Villot, 1855, III, no 349 (1,23; 0,95); Lebrun Dalbanne, *Étude sur Pierre Mignard*, Paris, Rapilly, 1878, p. 188, no 1656.
*Archives restauration :* « La couleur se détache, se borner à la refixer c'est s'exposer à refaire la même opération dans peu de temps », 1-2 Août 1825, (Arch. Louvre, P 16); « lavé, verni et restauré par Marchais, la Vierge à la grappe, no 123 » Octobre 1825, (Arch. Louvre, P 16).
*État actuel : Support :* anciennement rentoilé.

## No 15

SPADA, *Le concert*.
*Provenance :* Peint à Rome pour le Cardinal Ludovisi et rapporté en France par M. de Nogent qui le vendit à Jabach, acheté en 1671 par Louis XIV lorsqu'il acquit la collection Jabach, dans le Salon de Mercure à Versailles (cf. C. Constans, 1976, p. 162 et note 47). Déposé à Maisons-Laffitte en 1919, rentré au Louvre en 1944 et de nouveau déposé à Maisons-Laffitte en 1958.
*Bibliographie :* Le Brun, 1683, no 52, « une musique du Dominiquin », (attribution gardée jusqu'en 1832), « 4 pieds 10 pouces de hault sur 5 pieds 3 pouces de large » (soit 1,566; 1,691, dimensions prises en 1683 probablement avec le cadre); Bailly, 1709, p. 162, « 4 pieds 11 pouces de haut sur 5 pieds 4 pouces de large » (soit 1,42; 1,72); Lépicié, 1754, II, p. 289-290, « 4 pieds 11 pouces sur 5 pieds 4 pouces » (soit 1,539; 1,664); Villot, 1849, I, no 410 (rendu à Spada depuis 1832 par Villot), (1,42; 1,72); Seymour de Ricci, 1913, no 1538 (1,42; 1,72).
*Archives restauration :* « à rentoiler » en 1698, (Arch. Nat. O1, 1966); restauré par Martin en 1789, « ôté beaucoup de crasse et des repeints difficiles à enlever, raccordé des trous et gerçures avec grand soin, 100 livres »; dimensions de « 52 pouces sur 63 pouces » (soit 1,404; 1,691), (Arch. Nat. O1, 1931).
*État actuel : Support :* transposé en 1958.

## No 16

FRANCIABIGIO, *Portrait d'homme*.
*Provenance :* Collection du Duc de Richelieu; acheté par Louis XIV le 26-12-1665 avec 25 autres tableaux.

*Bibliographie* : Le Brun, 1683, n° 158, « 1 pied 10 pouces sur 1 pied 4 pouces » (soit 0,595; 0,433); Bailly, 1709, p. 27, ayant « de hauteur 1 pied 10 pouces sur 16 pouces de large » (soit 0,68; 0,50); Cabinet Crozat, *Recueil d'estampes d'après les plus beaux tableaux... Cabinet du Roy*, Paris, 1729, I, École romaine, pl. 11, fg. 7, gravé par Nicolas Edelinck, « 22 pouces sur 10 pouces » (soit 0,715; 0,520); Lépicié, 1752, I, p. 98, « 2 pieds 2 pouces 3/4 sur 21 pouces 1/2 (soit 0,724; 0,580, donne les mesures du tableau modifié); Villot, 1849, I, n° 518 (0,69; 0,53); Seymour de Ricci, 1913, n° 644 (0,68; 0,50).

*Archives restauration* : « ce tableau a sans doute été agrandi... Il faut un parquet derrière pour rapprocher les allonges qui se sont trop écartées » in Du Rameau, *État actuel des tableaux de la surintendance*, 1788; restauré en 1789 pour 50 livres par Martin : « de Raphaël demie-figure de grande nature de 28 pouces sur 22, enlevé une crasse très ancienne et raccordé tout à l'entour les places qui ont été agrandies. », (Arch. Nat. 0¹,1931).

*État actuel* : *Support* : épaisseur de 9 mm environ; autrefois aminci et parqueté; le parquet devenu contraignant et ayant causé des fentes a été enlevé; les cassures ont été réduites avec des incrustations en V; le bois très vermoulu a été désinfecté au tétrachlorure de carbone et consolidé avec une résine acrylique. L'ensemble est maintenu par des traverses coulissantes sur des galets de téflon (C. Huot 1979).

## N° 17
LOTTO, *La femme adultère*.
*Provenance* : Collection de Louis XIV.
*Bibliographie* : Le Brun, 1683, n° 296, « hault de 3 pieds 1 pouce sur 3 pieds 11 pouces de large » (soit 1,00; 1,27); Bailly, 1709, p. 124, « un tableau représentant la femme adultère ayant de haut 4 pieds 2 pouces sur 4 pieds 10 pouces de large » (soit 1,35; 1,57) « rehaussé de 13 pouces élargi de 12 pouces dans sa bordure dorée »; Lépicié, II, p. 89-90, « peint sur toile ayant 4 pieds 2 pouces de haut sur 4 pieds 10 pouces de large »; Villot, 1849, I, n° 238 (1,24; 1,56); Seymour de Ricci, 1913, n° 1349 (1,24; 1,56); Adhémar J., « Peinture et arts graphiques » in *Revue des Arts*, 1954, « tableau gravé au XVIᵉ siècle par Marc Duval », p. 63; Palluchini R., Manani Canova G., *Opera completa del Lotto*, Milano, Rizzoli, 1975, p. 114, ill. 202.

*Archives restauration* : Restauré par Martin en 1789-1790, « De Carlo Lotti, la femme adultère, tableau de 67 pouces sur 58, avoir enlevé quantité de crasse ancienne et repeints difficiles, raccordé beaucoup de trous... 96 livres », (Arch. Nat. 0¹, 1922 A); « La femme adultère, n° 1064 : à appliquer, il faut remettre à sa grandeur », (Arch. Louvre, P 16, 1825); « La femme adultère amenée devant Jésus, n° 1064, raccorder dans les vernis », (Arch. Louvre, P 16, 7 mars 1826); « n° 329, un tableau de l'École Vénitienne représentant la femme adultère, restauré et verni par Marchais », (Arch. Louvre, P 16, 31 janvier 1829); « Réduire le tableau à ses dimensions originales », Commission consultative des Musées Nationaux, 1938); restauré par E. Aillet en 1940, « aminci le vernis, quelques rebouchages et raccords puis verni ».

*État actuel* : *Support* : anciennement transposé.

## N° 18
VERONESE, *La Vierge et l'Enfant entre saint Georges, sainte Justine et un bénédictin.*
*Provenance* : Probablement peint pour les Bénédictins de San Giorgio Maggiore à Venise. Vendu par le Duc de Liancourt en 1662 au Comte de Brienne (ce dernier le décrit dans le catalogue de sa collection qu'il rédigea en latin et publia en 1662); cédé à Louis XIV en 1669. A Versailles, dans le Cabinet des Médailles. Envoyé vers 1750 au Luxembourg, puis au Louvre.
*Bibliographie* : Le Brun, 1683, n° 195, « hault de 3 pieds 2 pouces, large de 3 pieds » (soit 1,02; 0,97); Paillet, 1695, le tableau est à Versailles, « il a été agrandi »; Bailly, 1709, p. 94, n° 11, « 3 pieds de haut sur 3 pieds 1 pouce de large » (soit 0,97; 0,99); Lépicié, 1754, II, p. 109, n° XII (mêmes dimensions que dans Bailly), « 3 pieds de haut, sur 3 pieds 1 pouce de large »; Villot, n° 100, (0,99; 0,90); Seymour de Ricci, 1913, n° 1190, (0,90; 0,90); Maroni R., Béguin S., *Tout l'œuvre peint de Véronèse*, Paris, 1970, n° 88.
*Archives restauration* : Rentoilé en 1751 par Colins et la veuve Godefroid, (Arch. Nat. 0¹, 1934 A).
*État actuel* : *Support* : anciennement rentoilé.

## N° 19
GAROFALO, *La Sainte Famille*.
*Provenance* : Provient des collections de Charles Iᵉʳ d'Angleterre (cachet C.R.

visible au revers). Acheté par Jabach à la vente de ce prince en 1649, vendu à Louis XIV en 1671 (attribué à Raphaël).
*Bibliographie* : Le Brun, 1683, n° 77, « Raphaël : hault d'1 pied 2 pouces sur 10 pouces et demi de large », « peint sur bois avec sa bordure dorée cintrée »; adjonction postérieure « vu à Paris le 8 août 1690 » (soit 0,38; 0,31); Bailly, 1709, p. 25, « figures de 8 à 9 pouces ayant de hauteur, 13 pouces et demi sur 11 pouces de large; peint sur bois, dans sa bordure dorée, il était cintré par le haut, il a été rendu quarré. Versailles, Petite Galerie du Roy » (soit 0,364; 0,297); Lépicié, 1752, I, p. 86, « 14 pouces de haut sur 11 pouces de large » (soit 0,378; 0,297); Jeaurat, 1760, (AN 0¹, 1965), à la Surintendance dans le Grand Cabinet du Directeur des Bâtiments, sans mention de dimensions; Landon, 1823, IV, pl. 11 (gravé rectangulaire par Normand); Villot, 1849, I, n° 420, (0,40; 0,32); le Vicomte de Grouchy, « Jabach E., collectionneur parisien (1695) », « du Garofalo, S. Famille, n° 420 », in *Mémoires de la Société de l'Histoire de Paris et l'Ile-de-France*, 1894, XXI, p. 239; Hulftegger A. « Notes sur la formation des collections des peintures de Louis XIV (l'entrée dans le Cabinet du roi des tableaux provenant de Jabach, Mazarin, Fouquet etc », in *Bulletin de la Société de l'histoire de l'Art français*, 1954, p. 131 « ... quelques tableaux du Cabinet Jabach sont authentifiés par le cachet de cire, le n° 77 (Une petite Sainte Famille manière de Raphaël, cat. n° 1552 bis porte en outre la marque de Charles Iᵉʳ. »; *Abraham van der Doort's Catalogue of the Collections of Charles I*, publié par the Walpole Society, vol. XXXVII, 1960, p. 81, n° 28, « a mantua peece... painted in an arched wooden frame 1 f 3 - 0 f 11 » (soit 0,38; 0,279).
*État actuel* : *Support* : épaisseur de 11 mm; peuplier au centre; chêne sur le pourtour; peint au revers.

## N° 20
VANNI, *La Vierge et l'Enfant entre saint Michel, sainte Catherine, saint André et saint Nicolas de Bari.*
*Provenance* : Collection du Sommerard, Musée de Cluny, Paris; déposé à Avignon en 1976.
*Bibliographie* : Catalogue Cluny, 1851, p. 101 (n° 711 à 715); catalogue Cluny, 1883, p. 133-134 (École Florentine XVᵉ siècle); Berenson, 1968, p. 434; Laclotte et Mognetti, 1976, n° 233-237.

*État actuel : Support :* épaisseur du panneau central de 30 mm, les panneaux latéraux de 25 mm; peuplier; désinfecté au tétrachlorure de carbone et consolidé avec une résine acrylique; cassures réduites avec incrustation en forme de V (C. Huot 1977).
*Refixages :* la préparation étant assez pulvérulente, les refixages ont été faits à la colle de peau très diluée; la couche de couleur s'étant détachée localement de la préparation, quelques refixages ont été faits à la cire-résine (R. da Costa Pinto Dias Moreira 1978 et 1979).

## Nᵒ 21
ÉCOLE DE FLORENCE, *La Vierge d'humilité.*
*Provenance :* Musée de Cluny, 1862; entré au Louvre en 1896 et déposé au Musée du Palais des Papes d'Avignon cette même année 1896; rentré au Louvre et déposé à Avignon en 1976.
*Bibliographie :* Catalogue Cluny, 1883, nᵒ 1700; Laclotte et Mognetti, 1976, nᵒ 259.
*État actuel : Support :* épaisseur très irrégulière de 20 à 35 mm; poirier; désinfecté au tétrachlorure de carbone; réassemblé à tenons et mortaises; consolidé partiellement avec une résine acrylique (C. Huot 1978).

## Nᵒ 22
Imitateur de LIPPI et PESELLINO, *La Vierge et l'Enfant.*
*Provenance :* Don Jeuniette en 1919, au Louvre, déposé en 1977 à Montpellier.
*Bibliographie :* Braun G., *Catalogue des collections nouvelles formées par les Musées Nationaux de 1914-1919,* Paris, 1919, nᵒ 219; Berenson, 1963, p. 174; sur le problème « Imitateur de Lippi et Pesellino » consulter : Zeri F., Cat. Musée de Baltimore, Walter's art gallery, 1976, I, p. 80-81.
*État actuel : Support :* épaisseur de 35 mm; peuplier; désinfecté au tétrachlorure de carbone et consolidé partiellement avec une résine acrylique (C. Huot 1978).

## Nᵒ 23
VAN CLEVE, *Portrait de François Iᵉʳ.*
*Provenance :* Ancienne collection Revoil, nᵒ 252; entré au Louvre en 1828 (att. Holbein); déposé au château de Fontainebleau en 1955.
*Bibliographie :* Villot, 1855, II, nᵒ 110 (École de Clouet); Louis Dimier, « Les portraits peints de François Iᵉʳ, essai d'iconographie méthodique », in *Revue*

*Archéologique,* Juillet-Décembre 1910, p. 360; *La collection de François Iᵉʳ,* Dossier du Département des Peintures nᵒ 5, Louvre, 1972, nᵒ 4.
*Archives restauration :* « Enlevé d'un panneau de bois de noyer et fixé sur toile », par Hacquin le 16 avril 1828 (Arch. Louvre, 1 DD 87).
*État actuel : Refixages :* souvent localement à la cire-résine et généralisé en 1973 (H. Linard). Cette méthode, à la différence d'un refixage à la colle, permet de ne pas altérer les restaurations anciennes très importantes de 1828.

## Nᵒ 24
ROMANELLI, *La récolte de la manne dans le désert.*
*Provenance :* Collection de Louis XIV, provient de l'appartement d'été d'Anne d'Autriche au Louvre que Romanelli fut chargé de décorer en 1657.
*Bibliographie :* Bailly, 1709, p. 336; Lepicié, 1752, I, p. 171-172; Villot, 1849, I, nᵒ 357; Louis Réau, *Iconographie de l'art chrétien,* Paris, P.U.F., 1955-1959, II, vol. 1, p. 198.
*État actuel : Support :* anciennement rentoilé.

## Nᵒ 25
VOUET, *l'Éloquence.*
*Provenance :* Legs Louis Lacaze, 1869 (proviendrait de l'ex-maison de M. Tallemant; à l'époque attribué à La Hyre, selon Mariette).
*Bibliographie :* Mariette, Abecedario T., p. 48 (La Hyre); Reiset F., *Notice des tableaux légués au Musée Impérial du Louvre par M. Louis Lacaze,* 1870, nᵒ 258; Rosenberg, Reynaud, Compin, 1974, nᵒ 912.
*État actuel : Support :* épaisseur de 18 mm; chêne; peint au revers.

## Nᵒ 26
COYPEL, *La Visitation.*
*Provenance :* Maître-autel de la Chapelle de l'Hôpital des Incurables.
*Bibliographie :* Felibien, 1706, *Entretiens sur la vie et les ouvrages des plus excellents peintres,* IV, p. 181; Sainte Fare Garnot N., « La décoration de la Chapelle de l'Hôpital des Incurables », in *B.S.H.A.F.,* Paris, 1974, p. 55-62, ill. p. 57.
*État actuel : Support :* rentoilé en 1977 (G. Ten Kate).

## Nᵒ 27
VAN DYCK, *Saint Sébastien secouru par les anges.*

*Provenance :* Collection de Louis XIV.
*Bibliographie :* Le Brun, 1683, nᵒ 20; Bailly, 1709, p. 251, nᵒ 2; Villot, 1852, II, p. 139; Foucart, Brejon, Reynaud, 1979, p. 51.
*Archives restaurations :* Nettoyé en 1788 par Godefroid, « lavé et verni », (Arch. Nat. 0¹, 1931).
*État actuel : Support :* anciennement rentoilé.
*Refixages :* localement, sur les bords, à la cire résine (A. Ryzow).

## Nᵒ 28
DECAMPS, *Chevaux de halage.*
*Provenance :* Exposition Universelle 1855; Collection Alexis Revenaz; entré par don de l'Empereur Napoléon III au Louvre en 1860.
*Bibliographie :* Brière, 1924, nᵒ 204; Sterling, Adhémar, 1959, nᵒ 575; Cat. Louvre, 1972, p. 120; Dewey F. Mosby, *A.G. Decamps,* New-York et Londres (Garland), 1977, vol. 2, p. 522, nᵒ 217; Toussaint H., *Petit Larousse de la peinture,* Paris, 1979, I, p. 439.
*État actuel : Support :* anciennement rentoilé. La couche picturale est restée sous un vernis blond qui n'a pas été allégé.

## Nᵒ 29
HUE, *Marine : la rade et le port de Saint-Malo.*
*Provenance :* Tableau exposé au Salon de 1798 puis au Palais du Luxembourg dans la Collection des Ports de la République, déposé par le Louvre au Musée de la Marine en 1955.
*Bibliographie :* Hautecœur, 1926, nᵒ 410; catalogue exposition « Visages de Saint-Malo », Musée de Saint-Malo, 1976.
*Archives restauration :* « Beaucoup de craquelures, le dévernir et restaurer », (Arch. Louvre, P 16, 1822 environ).
*État actuel : Support :* anciennement rentoilé.

---

*Mentions citées en abrégé*

Burl. Mag.
Burlington Magazine.

B.S.H.A.F.
Bulletin de la Société d'Histoire de l'Art Français.

G.B.A.
Gazette des Beaux Arts.

Lab. D.M.F.
Laboratoire de Recherche des Musées de France.

# BIBLIOGRAPHIE SOMMAIRE

## Technique de la peinture

Anonyme, « Les supports de bois » in *Museum*, Paris, UNESCO, vol. VIII, nº 3, 1955.

Anonyme, « Les supports de toile » in *Museum*, Paris, UNESCO, vol. XIII, nº 3, 1960.

BATICLE J., GEORGEL P., *La technique de la peinture : l'atelier*. Dossier du département des peintures nº 12, Paris, Édition Musées Nationaux, 1976.

BERGER E., *Quellen der Maltechnik während der Renaissance und deren Folgezeit* (XVI-XVIIT. Jahrhundert). Munich, Goerg D.W. Callwey, 1901, Sändig-Reprint, Walluf-Nendeln 1975.

BERGER E., *Die Maltechnik des Altertums*. Munich, Goerg D.W. Callwey, 1904, Sändig-Reprint, Walluf-Nendeln 1975.

BERGER E., *Quellen und Technik der Fresko-, Oel- und Tempera-Malerei des Mittelalters*. Munich, Georg D.W. Callwey, 1912, Sändig-Reprint, Walluf-Nendeln 1975.

CENNINI C., *Il libro dell'arte o trattato della pittura*, a cura di F. Tempesti, Milano Longanesi 1975.

CENNINI C., Il libro d'arte, translated by Thompson D.V. *The craftsman's Handbook*. Yale University Press, 1933, reprint first edition New-York, Dover, 1954, 2nd edition, New-York, Dover, 1960.

CENNINI C., *Livre de l'art ou traité de la peinture*. Traduit par Victor Mottez, Paris, L. Rouart et J. Watelin Edition, 1858.

GETTENS, R.J. and STOUT G., *Painting materials: a short encyclopoedia*, New-York, Dover, 1966.

GOULINAT J.G., *La technique des peintres*. Paris, Payot, 1926.

HAVEL M., *La technique du tableau*. Paris, Dessain et Tolra, 1974.

HENDY Ph., et LUCAS A.S., « Les préparations des peintures » in *Museum*, vol. XXI, nº 4, Paris, 1968.

MARETTE J., *Connaissance des Primitifs par l'étude du bois*. A. et J. Picard et Cie, 1961.

MÉRIMÉE J.F.L., *De la peinture à l'huile*. Paris, Huzard-Vallat, 1830.

PLESTERS J., « Cross-sections and chimical analysis of paint samples » in *Studies in Conservation*, vol. 2, nº 3, 1956, p. 110 à 157.

RUDEL J., *La technique de la Peinture*. Paris, Presses universitaires de France, (coll. Que sais-je?) 1963.

VASARI, *Vasari on technique (XVIᵉ s.)* traduit par L. Maclehouse, 1907, New-York, Dover, 1960.

## Restauration

Anonyme, « La Restauration des œuvres d'art » in *Bulletin du Ministère de la Culture et de la Communication, nº 9, Paris, 1978*.

BAZIN G., « Conservation » in *Encyclopaedia Universalis France*, vol. 4, 1968, Paris, p. 927 à 931.

BRANDI C., « Il fondamento teorico del Restauro » in *Bollettino dell'Istituto Centrale del restauro*, 1-1950, Roma, p. 5 à 12.

BRANDI C., « Il ristabilimento dell'Unità potenziale dell'Opera d'arte » in *Bollettino dell'Istituto Centrale del Restauro*, 2-1950, Roma, p. 3 à 9.

BRANDI C., *Teoria del restauro*. Roma, Edizioni di storia e letteratura, 1963.

CONTI A., *Storia del restauro*. Milano, Electa Editrice, 1973.

EMILE-MALE G., *Restauration des Peintures de chevalet*; série découvrir, restaurer, conserver; Fribourg, Office du Livre; Paris, Société Française du livre, 1976.

GUILLERME J., *L'atelier du temps*. Paris, Hermann, 1964.

HUYGHE R., « Le problème du dévernissage des peintures anciennes et le Musée du Louvre » in *Musées et Monuments*, nº 2, Traitement des peintures, Paris, UNESCO, 1950, p. 83-90.

HUYGHE R., « Le problème du dévernissage des peintures anciennes et le Louvre » in *Museum*, vol. III, nº 3, 1950, p. 191 à 207.

HUYGHE R., « Le nettoyage et la restauration des peintures anciennes : Position du problème » in *Alumni*, vol. 19, 1950, p. 252 à 261.

MARIJNISSEN R.H., *Degradation, conservation et restauration de l'œuvre d'art*. Bruxelles, Arcade, 1967.

PHILIPPOT A. et P., « Le problème de l'intégration des lacunes dans la restauration des peintures » in *Bulletin de l'IRPA*, vol. 2, Bruxelles, 1959, p. 5 à 19.

PHILIPPOT A. et P., « Réflexions sur quelques problèmes esthétiques et techniques de la retouche » in *Bulletin de l'IRPA*, vol. 3, 1960, p. 163 à 172.

PHILIPPOT P., « La notion de patine et le nettoyage des peintures » in *Bulletin de l'IRPA*, vol. 9, Bruxelles, 1966, p. 138 à 143.

RUHEMANN H., *The cleaning of paintings: problems and potentialities*. London, Faber and Faber, 1968.

STOLOW N., FELLER R., JONES E.H., *On picture varnishes and their solvents*. London, Cleveland, 1971.

STOUT G., *Care of Pictures*. New-York, Columbia University Press, 1948.

URBANI G., (a cura di), *Problemi di Conservazione*, Bologna, Compositori, 1973.

## Catalogues d'expositions sur la restauration

BALDINI U., e DAL POGGETTO P. *Firenze restaura*. Firenze, Sansoni, 1972.

BERGEON S., *Comprendre, sauver, restaurer*. Petit Palais d'Avignon, 1976.

BERGEON S., *Comprendre, sauver, restaurer*. Petit Journal des grandes Expositions, Paris, Palais de Tokyo, 1978.

## Revues spécialisées sur la restauration

*Bollettino dell'Istituto Centrale del Restauro*, Roma, Istituto Poligrafico dello Stato, nº 1, 1950 à nº 44, 1960.

*Bulletin de l'Institut Royal du Patrimoine Artistique*. Bruxelles, I, 1958... XVI, 1977...

*Bulletin du Laboratoire du Musée du Louvre*, Paris, Edition Musées Nationaux, nº 1, 1956 à nº 12, 1969, devenu *Annales du Laboratoire de Recherche des Musées de France*, à partir de 1970...

*Maltechnik*, Munich, Georg D.W. Callwey, nº 61, 1955 à nº 77, 1971.

*Maltechnik-Restauro*. Internationale Zeitschrift für Farb-und Maltechnik. Munich, Goerg. D.W. Callwey, nº 78, 1972... nº 86, 1980...

*National Gallery Technical Bulletin.* Publications Departement, National Gallery, London, I, 1977 à III 1979...
*Studies in Conservation.* Journal of the International Institute for Conservation of historic and artistic works, London, vol. I, 1952... vol. XXIV, 1979...
*Art and Archaeology technical abstracts,* Formerly IIC Abstracts, published at the Institute of fine Arts, New-York. University, for the International Institute for Conservation of Historic and Artistic Works, London, n° 6, 1966... vol. 15, 1978...
*Technical Studies in Conservation in the field of the fine Arts.* William Hayes Fogg Art Museum, Harvard University, U.S.A. vol. I, 1932 à vol. X, 1942, reprint Garland Publishing, Inc. New-York & London, 1975.
Les publications du Comité Conservation de l'ICOM, dont les réunions sont triennales :
en 1963 à Moscou et Leningrad, en 1965 à New-York, en 1969 à Amsterdam, en 1972 à Madrid, en 1975 à Venise, et en 1978 à Zagreb.

## OUVRAGES D'HISTOIRE DE L'ART CITÉS EN ABRÉGÉ DANS L'INDEX DES ŒUVRES

BAILLY N., *Inventaire des tableaux du Roy,* rédigé en 1709-1710 par Nicolas Bailly, publié pour la 1re fois avec des additions et des notes par Fernand Engerand, Paris, Ernest Leroux, 1899.
BERENSON B., *Italian Pictures of the Renaissance, Venetian School,* London, 1957.
BERENSON B., *Italian Pictures of the Renaissance, Florentine School,* London, 1963.
BERENSON B., *Italian Pictures of the Renaissance, Central Italian and North Italian Schools,* London, 1968.
BRIERE G., *Musée National du Louvre, Catalogue des peintures exposées dans les Galeries,* Paris Musées Nationaux, Palais du Louvre, 1924. Tome I : École française.
*Catalogue du Musée des Thermes et de l'Hôtel de Cluny,* Paris, 1851.
*Catalogue et description des objets d'art de l'Antiquité, du Moyen-Age et de la Renaissance* par E. du Sommerard, Paris, Hôtel Cluny, 1883.
*Catalogue du Louvre, catalogue des Peintures, École Française,* Paris, Éditions Musées Nationaux, 1972.
CONSTANS C., « Les tableaux du Grand Appartement du Roi à Versailles ». in *Revue du Louvre,* 3, 1976, XXVIe année.

DEMONTS L., *Catalogue des Peintures exposées dans les Galeries,* Musée du Louvre, *Écoles Flamande, Hollandaise, Allemande et Anglaise.* Paris, Musées Nationaux, 1922.
FOUCART J., BREJON A., REYNAUD N., *Catalogue sommaire illustré des peintures du Musée du Louvre; Écoles Flamande et Hollandaise,* Réunion des Musées Nationaux, 1979.
FRIEDLANDER M., *Die niederländische Malerei.* Tome 8 : Jan Gossart, Bernart van Orley, Berlin, 1930. Tome 13 : Anthonis Mor und seine Zeitgenossen, Leyde, 1936.
HAUTECŒUR L., *Musée National du Louvre. Catalogue des Peintures exposées dans les Galeries.* Paris, 1926.
HOFSTEDE DE GROOT C., *Beschreibendes und kritisches Verzeichnis der Werke der hervorragendsten holländischen Maler des XVII. Jahrhunderts.* II. Esslingen-Paris 1908, VIII. Esslingen-Paris 1923.
JANTZEN H., *Das niederländische Architekturbild.* Leipzig, Klinghardt und Biermann, 1910.
LACLOTTE M., *Le Petit Larousse de la Peinture,* Paris, Larousse, 1979. Tome I et II.
LACLOTTE M., et MOGNETTI E., *Avignon, Musée du Petit Palais, Peinture italienne.* Paris, 1976.
LANDON C.P., *Annales du Musée de l'École Moderne des Beaux-arts.* Paris, imprimerie royale, 1823-1834.
LE BRUN Ch., *Inventaire des tableaux du Cabinet du Roy.* 1683, Archives Nationales, Ms.
LEPICIÉ F.B., *Catalogue raisonné des tableaux du roy,* avec un abrégé de la vie des peintres. Paris, Imprimerie royale, Tome I : École Florentine et École Romaine, 1752. Tome II : École Vénitienne et École de Lombardie, 1754.
MICHEL L., *Catalogue raisonné des peintures du Moyen-Age, de la Renaissance et des Temps Modernes, Peintures flamandes du XVe et XVIe siècle.* Éditions Musées Nationaux, Paris, 1953.
PAILLET, *Inventaire général des tableaux du Roy* qui sont à la garde particulière du sieur Paillet, à Versailles, à Trianon et à Marly, Meudon et Chaville, 9 décembre 1695, Archives Nationales, Ms.
REISET F., *Notice des tableaux légués au Musée Impérial du Louvre par M. Louis Lacaze,* 1870.
ROSENBERG P., REYNAUD N., COMPIN I., *Catalogue illustré des peintures du Musée du Louvre, École Française du XVIIe et XVIIIe siècles.* Paris, Éditions des Musées Nationaux, 1974.
SEYMOUR DE RICCI, *Description raisonnée des Peintures du Louvre, Écoles étrangères : ·Italie et Espagne,* Paris, 1913.
STERLING Ch., ADHEMAR H., *La peinture au Musée du Louvre, École du XIXe siècle.* Paris, Éditions des Musées Nationaux, 1958-1961.
VASARI, *Le vite.* Édition Milanesi, 1881.
VILLOT F., *Notice des tableaux exposés dans la Galerie du Musée Impérial du Louvre.* Paris. Tome I : Écoles d'Italie et d'Espagne, 1864; Tome II : Écoles Allemande, Flamande, Hollandaise, 1863; Tome III : École Française, 1855.

## CRÉDITS PHOTOGRAPHIQUES

Agraci : 1, 2, 3, 4, 5[A], 5[B], 6, 7[C], 7[D], 8[A], 8[B], 8[C], 9[A], 9[B], 11, 12, 13[A], 13[B], 14, 15[A], 15[B], 16[C], 17, 20[A] à [H], 21[ABC], 22[AB], 23[ABC], 24[ABC], 25[AB], 26[AB], 27[B], 28[AB], 29[AB].

Lab. DMF : 7[A], 7[B], 16[A], 16[B], 18.

RMN : 10[A], 19, 27[A].

Daspet : 10[B].

*Composé par les Industries Graphiques, Paris*
*Imprimé par Zichiéri, Paris*
*Maquette Jean-Pierre Rosier*
ISBN : 2-7118-0156-X